La collection « en question » est dirigée
par Jean Yves Collette

René Fagnan
La Formule 1 en question

Marcel Labine
Le Roman américain en question

Robert Léger
La Chanson québécoise en question

Ginette Pelland
Freud en question

Serge Proulx
La Révolution Internet en question

Viviane Bouchard
Che Guevara, un héros en question

Jeanne Demers
Le Conte - du mythe à la légende urbaine

Viviane Bouchard
Les Déserts, témoins de l'histoire du monde

L'ISLAM
DES RÉPONSES AUX QUESTIONS ACTUELLES

DU MÊME AUTEUR

L'Islam et les Musulmans,
Montréal, Fides, 1993, édition revue et augmentée.

Musulmans et chrétiens : des frères ennemis ?,
Montréal, Médiaspaul, 1995.
Traduit en anglais et publié par Alba House (New York et Manille) en 1997
sous le titre *Muslims ans christians : Enemies or Brothers ?*

« L'islam », chapitre dans *Un monde de religions*,
sous la direction de Mathieu Boisvert, tome 2,
Québec, Presses de l'Université du Québec, 1999.

La Tradition islamique, le chemin du retour vers Allah,
collection «Labyrinthes», Montréal,
Éditions La Pensée (groupe Guérin), 2002.

JEAN-RENÉ MILOT

L'ISLAM
DES RÉPONSES AUX QUESTIONS ACTUELLES

Québec Amérique

Catalogage avant publication de Bibliothèque et Archives nationales du Québec et Bibliothèque et Archives Canada

Milot, Jean-René
L'Islam - des réponses aux questions actuelles
(En question ; 7e)
Comprend des réf. bibliogr.
ISBN 978-2-7644-0271-9
1. Civilisation islamique. 2. Islam. I. Titre. II. Collection : En question (Montréal, Québec) ; 7e.
DS36.8.M54 2004   909'.097671   C2003-940757-8

 Conseil des Arts **Canada Council**
du Canada   for the Arts

SODEC
Québec

Nous reconnaissons l'aide financière du gouvernement du Canada par l'entremise du Fonds du livre du Canada pour nos activités d'édition.

Gouvernement du Québec – Programme de crédit d'impôt pour l'édition de livres – Gestion SODEC.

Les Éditions Québec Amérique bénéficient du programme de subvention globale du Conseil des Arts du Canada. Elles tiennent également à remercier la SODEC pour son appui financier.

Québec Amérique
329, rue de la Commune Ouest, 3e étage
Montréal (Québec) H2Y 2E1
Téléphone : 514 499-3000, télécopieur : 514 499-3010

Dépôt légal : 4e trimestre 2004
Bibliothèque nationale du Québec
Bibliothèque nationale du Canada

Révision linguistique : Monique Thouin
Conception de la grille graphique et mise en page : Jean-Yves Collette
Conception de la couverture : Isabelle Lépine
Réimpression : mai 2011

Imprimé au Canada

On peut dire qu'actuellement une personne sur cinq, soit au moins un milliard deux cents millions de personnes, se réclame de l'islam. Peut-on pour autant ranger tous ces gens sous une seule et même bannière, celle du « monde musulman », celle de « l'islam » ? Faut-il parler d'islam ou d'islams ?

Aussitôt que l'on essaie de décrire le monde de l'islam, on s'aperçoit qu'il y a plusieurs facteurs de diversité susceptibles d'amener des clivages considérables dans cette population et des variantes importantes dans la façon de concevoir et de pratiquer l'islam. Un premier coup d'œil sur une carte géographique nous montre une sorte de ceinture de pays à majorité musulmane – ou à forte concentration musulmane – qui va de l'Afrique du Nord jusqu'à l'Indonésie en passant par le Moyen-Orient et le sous-continent indien. Un deuxième coup d'œil, cette fois dans l'axe nord-sud, nous signale la présence tout aussi importante de musulmans depuis les confins de la Chine et des ex-républiques soviétiques jusqu'au sud de l'Afrique. Mais il faut aussi regarder du côté de l'Europe et de l'Amérique pour y découvrir ce que l'on appelle parfois « **l'islam de la diaspora** », ces minorités de plus en plus importantes de musulmans qui vivent depuis une, deux ou plusieurs générations dans les grandes villes européennes ou américaines.

Cet aperçu géographique laisse évidemment transparaître une très grande variété ethnique, linguistique et culturelle. Chacun de ces groupes a son identité particulière

L'islam de la diaspora

Au Canada, en 1991, on recensait 253 265 musulmans (un pour cent de la population), dont 44 930 au Québec. Au recensement de 2001, on dénombrait 579 640 musulmans (deux pour cent de la population), dont 108 620 au Québec. La population musulmane a donc plus que doublé en dix ans, si bien que l'islam est devenu la troisième religion en importance au Canada, après le catholicisme romain et le protestantisme.

(Source : site web de Statistique Canada consulté le 8 décembre 2003)

**Foule de pèlerins
à La Mecque**

La densité de
la population des pèlerins
à La Mecque est
ponctuelle, tandis que
d'autres pays musulmans,
comme le Bangladesh,
comptent parmi
les régions les plus
densément peuplées
de la planète.

Foule de musulmans au Bangladesh.
Photo : Archives d'Orient.

et son histoire propre qui remonte souvent très loin, bien avant la venue de l'islam. On peut donc parler d'un islam africain, d'un islam indien, d'un islam indonésien, d'un islam chinois tout aussi bien que d'un islam arabe ou iranien, au sens où l'interaction entre la culture locale et la religion a imprimé une marque particulière à la façon de vivre l'islam. À cette diversité héritée de l'histoire s'ajoute celle des conditions économiques actuelles. La population musulmane s'étale sur un large éventail allant des groupes les plus riches jusqu'aux plus démunis, depuis le très riche cheikh du pétrole des émirats arabes jusqu'au pauvre paysan des rizières du Bangladesh.

Sur le plan politique, on observe une diversité semblable dans les régimes des pays musulmans : républiques démocratiques, monarchies constitutionnelles, dictatures militaires, États islamiques dirigés par des chefs religieux.

Sur le plan proprement religieux, l'islam se divise en deux grandes branches : les sunnites (± 88 %) et les chiites (± 12 %). Ces derniers se subdivisent en imamites (ou duodécimains) et ismaéliens (ou septimains), qui, à leur tour, se ramifient en plusieurs sous-groupes. Sunnites et chiites adhèrent à des croyances et à des pratiques de base communes, mais les chiites y ajoutent des croyances et des pratiques qui peuvent varier selon les sous-groupes et donner une teinte distinctive à leur religion. À ces différences séculaires viennent s'ajouter des différences peut-être encore plus décisives sur le plan des tendances face au monde moderne. On peut alors parler de traditionalisme pour désigner l'attitude de ceux qui pensent que l'islam est bien comme il est et comme il a toujours été. Les réformistes, quant à eux, soutiennent que l'islam a besoin d'être réformé. Mais quand il s'agit de savoir quelle nouvelle forme lui donner aujourd'hui, les fondamentalistes se tournent

vers le passé, vers les premiers siècles ou les premières générations de croyants pour y retrouver ce qu'ils croient être
les fondements d'un islam originel, exempt des déviations
postérieures. Les modernistes, eux, se tournent vers le présent et l'avenir pour y puiser une nouvelle forme d'islam,
convaincus que la modernité et l'islam peuvent très bien
s'harmoniser si l'on comprend bien l'islam et qu'on l'adapte
au stade actuel de l'évolution de l'humanité.

L'inventaire rapide des facteurs de diversité que nous
venons de dresser nous permet d'écarter la perception de
l'islam comme étant un bloc monolithique immuable dans
l'espace et dans le temps. On peut alors parler d'islams pour
refléter cette grande diversité et signifier qu'il y a plusieurs
façons de concevoir et de vivre l'islam. Mais, en même
temps, et tout en tenant compte de cette diversité, on peut
aussi parler de l'islam pour désigner l'adhésion de tous ces
gens à une profession de foi commune : « Il n'y a de Dieu
qu'Allah, et Mohammed est le messager d'Allah. » C'est là
le premier de ce que l'on appelle « les cinq piliers de l'islam »,
les autres étant la prière quotidienne, l'aumône, le jeûne
du Ramadan (neuvième mois du calendrier musulman) et
le pèlerinage à La Mecque. Les musulmans considèrent ces
piliers comme étant la base sur laquelle s'édifie l'*oumma*,
la communauté des croyants musulmans.

Le croissant de lune

Le *hilal*, ou croissant
de lune, est devenu
le symbole de l'islam.
Il rappelle le calendrier
lunaire qui rythme la vie
religieuse des musulmans.

**Les termes « islam » et « islamisme » sont-ils synonymes et
les termes « musulman » et « islamiste », « musulman » et
« Arabe » sont-ils équivalents pour désigner les adeptes de
l'islam ?**

Le mot « islam » est un dérivé de la même racine *(s-l-m)* que
salam (*shalom* en hébreu), qui signifie « paix ». Dans son

sens le plus originel, l'islam, c'est « ce qui fait que quelqu'un est en paix », « ce qui est la cause de la paix ». Dans le contexte de la révélation coranique, c'est-à-dire du message transmis par le prophète Mohammed, ce qui fait que le croyant est en paix, c'est qu'il se soumet en toute confiance à la volonté d'Allah. Le terme « islam » désigne donc d'abord cette attitude religieuse de soumission confiante à Allah. Cette attitude n'est pas purement abstraite ou intérieure ; elle se manifeste dans des gestes, dans une façon de vivre, et elle s'explicite dans des croyances particulières. L'islam est donc aussi l'ensemble de croyances, de doctrines, d'options éthiques et de pratiques rituelles qui caractérisent l'islam et en font une religion bien spécifique. Les adeptes de l'islam, on les appelle « musulmans », c'est-à-dire, littéralement, « ceux qui font l'islam, qui sont en état d'islam ».

Musulmans en prière à Calcutta

Dans la prière rituelle accomplie cinq fois par jour, la prosternation exprime de façon gestuelle
l'attitude de soumission à Allah qui constitue la signification première du terme « islam ». *Photo : Archives d'Orient.*

Islam

« ISLAM n.m. 1. Religion musulmane. *Le livre saint de l'islam est le Coran.* En ce sens, le nom s'écrit avec une minuscule. 2. Ensemble des peuples musulmans. *Les pays de l'Islam.* En ce sens, le nom s'écrit avec une majuscule. »

(Multidictionnaire de la langue française, 4ᵉ éd.)

Islamisme

« ISLAMISME n.m. 1. (vieux) Religion des musulmans fondée par Mahomet. 2. Mouvement religieux préconisant l'islamisation complète de la vie politique, sociale, économique, etc. »

(Multidictionnaire de la langue française, 4ᵉ éd.)

Par extension, le mot « **islam** » en est venu à désigner la collectivité des musulmans, l'ensemble des pays musulmans, la civilisation musulmane. En ce sens, le mot s'écrit avec une majuscule, nous disent certains dictionnaires. En principe, on peut être d'accord avec cet usage, même si, en pratique, il n'est pas toujours facile de tracer une ligne claire entre « islam » et « Islam », la religion et la collectivité qui s'en réclame.

Par contre, un autre usage qui fait du terme « **islamisme** » un synonyme de « islam » prête actuellement à confusion. Déjà, l'usage maintenant vieilli d'« islamisme » au sens de « doctrine de l'islam » posait problème dans la mesure où il prenait une partie (la doctrine) pour le tout (la religion), en réduisant l'islam à une doctrine, à une idéologie. Là où les choses se compliquent et favorisent la confusion, c'est qu'au moment où cet usage était en voie de disparaître, le terme « islamisme » a entrepris une nouvelle carrière ; cette fois, il déborde largement les cercles intellectuels pour se retrouver au premier plan de la scène politique.

En effet, depuis une vingtaine d'années, on utilise le terme « islamisme » pour désigner non pas la religion musulmane, mais une idéologie particulière qui découpe à même l'islam certains éléments de croyances et de pratiques pour en faire un outil au service d'une cause politique. Les adeptes de cette idéologie, que l'on appelle les « islamistes », prônent le renversement des régimes soutenus par l'Occident et l'établissement d'États islamiques. Pour eux, un État islamique, c'est un État où tout est conforme à l'islam et régi par des experts religieux. Là où ils prennent le pouvoir, que ce soit dans l'Iran de Khomeyni, dans l'Afghanistan des talibans ou dans certains États du Nigeria, les islamistes implantent un islam extrémiste axé sur une compréhension littérale du Coran, un rigorisme moral et une application stricte de la loi islamique *(charia)*. La plupart des musulmans ne se reconnaissent pas dans cet islam pur et dur, dans cette caricature de leur religion, et encore moins dans l'utilisation de l'islam pour légitimer des attentats terroristes comme ceux du 11 septembre 2001.

Si l'on veut parler des mouvements qui propagent l'idéologie islamiste, on parlera donc de « mouvance islamISTE » et non de « mouvance islamIQUE », car « islamique » est un adjectif qui désigne ce qui est relatif à l'islam en général, tandis que « islamiste » est un nom ou un adjectif qui se rapporte à une tendance particulière, l'islamisme. Utiliser « islam » et « islamisme » de façon indifférenciée, c'est plus ou moins consciemment souscrire au préjugé que l'islam est de soi une religion extrémiste et que les musulmans sont par essence des fanatiques.

Par ailleurs, « Arabe » et « musulman » ne sont pas des synonymes ou des termes équivalents, car les Arabes ne sont pas tous musulmans, et les musulmans sont loin d'être tous des Arabes. Il y a, par exemple, plus de musulmans au Pakistan que dans tous les pays arabes. Dans la mesure où l'utilisation des mots reflète la perception que l'on a de la réalité, il devient important de bien distinguer les termes qui concernent l'islam et les musulmans si l'on veut respecter la complexité de la réalité actuelle du monde musulman.

Après les événements du 11 septembre 2001, est-il encore possible d'aborder l'islam de façon objective ?

Globalement, on peut dire que l'objectivité est une sorte d'idéal que l'on poursuit plutôt qu'une réalité certaine à laquelle on parvient. Par exemple, dans les sciences de la nature aussi bien que dans les sciences humaines, on doit souvent prendre des précautions considérables pour éliminer ou réduire l'influence du sujet qui observe sur l'objet observé. Dans un cas comme dans l'autre, les résultats sont toujours sujets à interprétation.

Lorsqu'il s'agit du phénomène religieux en général et des grandes religions en particulier, l'observateur est confronté à un double défi. Considérons tout d'abord le défi que présentent la complexité de l'objet à observer et, surtout, son caractère très controversé ; il y a des gens qui sont passionnément pour la religion, d'autres qui sont tout aussi passionnément contre. Dans un cas comme dans l'autre, l'émotivité projette une sorte d'écran de fumée sur les raisons soi-disant objectives que chacun invoque à l'appui de sa position. C'est précisément là que se situe le deuxième défi pour l'observateur : être conscient de sa propre subjectivité, du point de vue particulier où il se situe pour observer l'objet. À cet égard, on relève deux grandes tendances chez les spécialistes de l'étude des religions. Certains soutiennent que l'on ne peut pas observer objectivement une religion si l'on est un croyant de cette religion ou même d'une autre, car la foi religieuse biaise les perceptions. Au contraire, soutiennent d'autres, on ne peut pas comprendre vraiment une religion si l'on ne l'observe que de l'extérieur.

Dans le cas particulier de l'islam (la religion musulmane), le terrain est particulièrement piégé. En effet, tout au long de son parcours historique, l'islam s'est trouvé en face-à-face avec le christianisme, à la fois sur le plan religieux et sur le plan politique. Nettement en avance sur l'Europe au Moyen Âge, l'Islam (l'ensemble des peuples musulmans) s'est trouvé sous la tutelle coloniale à la période moderne. C'est dire que, aussi bien pour les chrétiens que

pour les musulmans, la perception de « l'autre » a souvent été teintée par ce que l'on nommerait aujourd'hui une propagande de guerre, et cela, bien avant le 11 septembre 2001. Les événements du 11 septembre ont rendu encore plus difficile la tâche de l'observateur à cause, entre autres, du choc psychologique et de la charge émotive liés aux événements ; à cause aussi de la masse considérable d'information et de désinformation qui a dirigé les projecteurs médiatiques sur l'islam et les musulmans. Cela a eu pour effet chez certains de confirmer les préjugés qu'ils avaient sur l'islam, et chez d'autres de remettre en question ces préjugés.

Pour sa part, l'auteur de ce livre ne prétend pas à l'objectivité dans sa présentation de l'islam. Dans la mesure où

Groupe de musulmans en prière

Les millions de musulmans paisiblement réunis en prière retiennent moins souvent l'attention des médias occidentaux que les quelques extrémistes porteurs de bombes.

Photo : Archives d'Orient.

il n'est pas musulman, il aborde l'islam de l'extérieur. Mais, en même temps, il favorise une approche empathique qui prête une oreille attentive à ce qui se dit à l'intérieur, en essayant de comprendre plutôt que d'évaluer, sans pour autant renoncer à mettre en question certains aspects de la croyance, souvent ceux-là mêmes que beaucoup de croyants musulmans remettent eux aussi en question.

Comme l'Arabie a été le berceau de l'islam, on dit parfois que l'islam est « la religion du désert ». Est-ce bien le cas ?

À la veille de l'islam, au VIIe siècle, l'Arabie échappait au contrôle et à la convoitise des deux grands empires de l'époque, l'Empire byzantin, à l'ouest, et l'Empire perse sassanide, à l'est. Le territoire de l'Arabie était une immense étendue inhospitalière et peu peuplée où des Bédouins, regroupés en tribus et en clans, arrivaient à survivre en élevant du petit bétail et en pillant les caravanes. Il y avait aussi quelques lieux de sédentarisation, par exemple, une ville comme La Mecque et une oasis comme Yathrib, qui deviendra Médine (« la ville » du Prophète). La Mecque était devenue une ville prospère grâce au commerce ; elle était le centre nerveux, le carrefour des caravanes qui transportaient du sud, plus précisément du Yémen, vers le nord les marchandises venues par mer, de l'Inde et de la Chine. C'est là qu'est né le fondateur de l'islam, Mohammed, vers 570. C'est là aussi que, vers 610, il reçut d'Allah, par l'intermédiaire de l'ange Gabriel, les premières révélations et la mission de les transmettre à ses compatriotes mecquois. Mission peu commode, et qui le forcera à fuir vers Yathrib, en 622. Yathrib était une oasis fertile organisée en fonction de l'agriculture. C'est là que s'implantera l'islam en

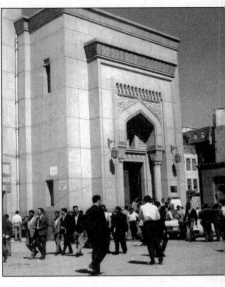

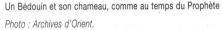
Un Bédouin et son chameau, comme au temps du Prophète
Photo : Archives d'Orient.

donnant naissance à la première communauté des croyants musulmans.

L'islam finira par rallier les Bédouins du désert, mais cela n'en fait pas pour autant la religion du désert ; encore aujourd'hui, beaucoup d'éléments du Coran et de la loi islamique ne se comprennent qu'en fonction du contexte social et religieux de La Mecque et de Médine (Yathrib). Par exemple, sur le plan religieux, le Coran et l'action du Prophète s'emploieront à extirper le culte rendu aux divinités représentant des forces de la nature, des astres ou des étoiles, au profit d'Allah, Dieu unique et tout-puissant. En même temps, dans l'optique du Coran, le message venant d'Allah et apporté par Mohammed se situe dans la continuité des messages livrés précédemment aux juifs et aux chrétiens, dont certains vivaient à La Mecque et à Médine. C'est ainsi que Mohammed prend la relève de Noé, d'Abraham, de Moïse et de Jésus ; et c'est ainsi que le Coran, recueil des

Va-et-vient devant une mosquée moderne

Le prophète Mohammed n'était pas un Bédouin mais un marchand établi à La Mecque, une ville. Il a émigré dans une autre ville, Médine, pour y implanter l'islam et finalement se gagner l'allégeance des Bédouins.

Photo : Archives d'Orient.

17

révélations transmises par Mohammed, vient confirmer, compléter et sceller à jamais ce qu'Allah avait à dire aux humains.

On s'entend généralement pour reconnaître en Mohammed le fondateur et le personnage central de l'islam. Comment expliquer que cet homme suscite chez certains autant d'admiration et chez d'autres autant de réprobation ?

Les premières biographies écrites de Mohammed datent de plus d'un siècle après sa mort et reflètent déjà une évolution dans l'image du Prophète de l'islam. En effet, au départ, le Coran et une partie de la tradition primitive nous le présentent comme un humain qui, malgré ses faiblesses, a été choisi par Allah pour être son messager en transmettant les révélations du Coran. Aucun miracle ne lui est attribué, sauf le caractère inimitable du Coran, qui, strictement, devrait être attribué à son auteur, Allah.

Au fil du temps, d'autres perceptions du Prophète viendront se superposer à cette image initiale. On peut facilement voir dans ces nouvelles perceptions le reflet des préoccupations de la collectivité croyante musulmane à une époque donnée. Ainsi, en réponse aux confrontations avec les fondateurs d'autres religions, comme Jésus ou Bouddha, la naissance de Mohammed sera entourée de faits miraculeux, que l'on trouvera d'ailleurs dans le reste de sa vie. Plus tard, pour répondre à la montée du culte des saints dans les mouvements soufis (mystiques) populaires, Mohammed deviendra un saint, un modèle parfait de toutes les vertus. Certains mystiques et philosophes néoplatoniciens verront dans Mohammed le *logos* (verbe) éternel, une sorte d'émanation de Dieu. Pour les modernistes qui voulaient défendre

l'islam contre les attaques des Occidentaux et en même temps faire la promotion des valeurs modernes auprès de leurs coreligionnaires, Mohammed se présente comme le parfait exemple des vertus humanitaires et sociales prônées par le libéralisme européen.

Les Occidentaux, tout comme les musulmans, ont façonné leur image de Mohammed à partir des valeurs qui leur tenaient à cœur. Cela a donné naissance à deux grands courants, l'un critique et l'autre bienveillant. Dans un contexte où la chrétienté est menacée par l'islam puis par la Réforme, la légende populaire fait de Mohammed un apostat, l'antéchrist qui sème la division, le mal et l'impiété. Par contre, un courant bienveillant fera son chemin dans la philosophie des lumières et le romantisme. Mohammed est

La grande mosquée de Médine

Au terme des rites du pèlerinage, beaucoup de pèlerins se rendent à Médine pour vénérer le tombeau du Prophète dans la mosquée qui porte son nom.

alors perçu comme un libre penseur qui bouleverse les croyances reçues, le sage législateur qui établit une religion conforme à la raison, le héros qui insuffle à son peuple une énergie qu'il puise dans son contact mystique avec l'Absolu. Les orientalistes et les historiens modernes ont pour leur part visé à replacer Mohammed dans le contexte historique de son temps, à le présenter plutôt qu'à le juger, en mettant l'accent sur l'un ou l'autre aspect de son message et de sa vie, souvent selon leur propre sensibilité.

On comprendra donc facilement que les images du fondateur de l'islam soient très divergentes, selon que l'on perçoit l'islam comme une menace ou comme un apport à la civilisation mondiale. Bien souvent, ces images nous en disent plus long sur les sentiments de ceux qui les façonnent que sur la réalité du personnage historique qu'a été Mohammed.

Pourquoi et comment le Prophète Mohammed a-t-il quitté La Mecque, sa ville natale, pour s'établir à Médine ?

Né vers 570, très tôt orphelin de père et de mère et appartenant à un clan peu influent de La Mecque, Mohammed ne comptait pas pour beaucoup dans cette ville. Il s'était toutefois acquis une réputation de fiabilité comme caravanier au service d'une riche veuve qui l'épousa. Désormais à l'abri des soucis matériels, Mohammed se trouva bientôt aux prises avec un autre genre de problème lorsqu'en 610 il commença à recevoir des révélations qu'il avait ordre de transmettre à ses compatriotes.

Mission pas très commode que celle d'interpeller les riches et puissants Mecquois pour les prévenir qu'il y avait une vie après celle d'ici-bas et qu'au terme de celle-ci, au jour du Jugement, ils auraient à rendre compte de leur conduite à Allah, Dieu tout-puissant. Loin d'arranger les choses, d'autres révélations venaient faire d'Allah le seul Dieu digne de ce nom, reléguant au rang d'idoles à proscrire les divinités représentées par des stèles dans le sanctuaire de la *Kaaba*, à La Mecque. Cela remettait en cause l'une des sources de revenu des Mecquois, le rassemblement annuel des tribus de l'Arabie autour du sanctuaire. En même temps, c'était l'ordre social qui était menacé, car de plus en plus de Mecquois, surtout les moins influents, considéraient Mohammed comme Prophète et se joignaient à la communauté des premiers musulmans, ceux qui acceptaient l'islam prêché par Mohammed.

Les Mecquois n'allaient pas s'en laisser imposer par un homme d'aussi basse condition et ils entreprirent des manœuvres d'intimidation à l'égard de Mohammed et de ses fidèles. Sentant qu'il ne pourrait pas indéfiniment résister à ces assauts, Mohammed avait accueilli positivement une délégation de gens de Yathrib qui lui demandaient de venir en conciliateur prendre charge de cette oasis en proie à des luttes internes. C'est là que Mohammed, en septembre 622, passant de la prédication à l'action, alla implanter la première communauté musulmane.

Accepté comme chef politique par tous et comme Prophète par les croyants musulmans, Mohammed s'employa à rétablir la paix à Yathrib, tout en faisant œuvre de diplomate pour conclure des alliances avec plusieurs tribus de Bédouins. Pendant ce temps, les révélations continuaient d'arriver, rappelant les grands thèmes de la prédication de La Mecque, mais aussi apportant des réponses aux questions que posait la nouvelle tâche de Mohammed comme gouvernant de Yathrib, désormais appelée Médine (*madinat al-nabi*, « ville du Prophète »).

622

Septembre 622 marque le début du calendrier de l'ère musulmane, l'an 1 de l'hégire (« A. H. »), date de l'émigration (« hégire ») du Prophète à Médine.

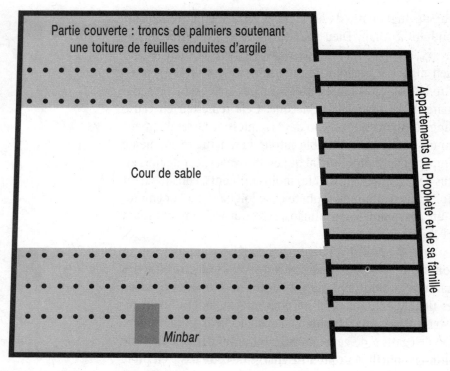

Partie couverte : troncs de palmiers soutenant une toiture de feuilles enduites d'argile

Cour de sable

Appartements du Prophète et de sa famille

Minbar

Schéma de la maison du Prophète à Médine

C'est dans la cour que le prophète Mohammed recevait les délégations, traitait des affaires du jeune État musulman et prononçait des sermons du haut d'une chaire appelée *minbar*.
On y célébrait la prière collective et les compagnons les plus pauvres y logeaient. Cette structure servira de modèle pour la construction des innombrables mosquées que connaîtra l'Islam.

Habile stratège militaire en même temps que diplomate maniant « l'art de gagner les cœurs », Mohammed réussit non seulement à repousser les attaques des Mecquois mais aussi à neutraliser leur emprise auprès des tribus de l'Arabie. En 630, il entrait en vainqueur à La Mecque et accordait une amnistie générale à ses anciens opposants. Ils ne se convertirent pas tous à l'islam, mais lui prêtèrent à tout le moins allégeance comme gouvernant. À sa mort, à Médine, en 632, Mohammed avait réussi ce que personne avant lui n'avait pu faire : unifier l'Arabie sous son contrôle.

La grande mosquée de Médine aujourd'hui

La grande et splendide mosquée de Médine a été érigée sur le lieu même de la modeste maison du Prophète, première mosquée de l'Islam (page 22). Les dimensions et les matériaux de ces mosquées montrent le chemin parcouru par l'Islam depuis ses origines.

Mohammed était-il analphabète ? Quelle est l'importance de cette question ?

Cette question peut sembler purement anecdotique, mais elle touche un point vital pour la foi musulmane, à savoir la polémique sur l'origine divine du Coran. Très tôt, en effet, des juifs et des chrétiens ont allégué que les versets récités par Mohammed n'étaient pas des révélations originales venant de Dieu mais plutôt des textes bibliques copiés, et mal copiés, par Mohammed. Ce à quoi les musulmans ont répondu que cela était impossible parce que, selon la tradition, Mohammed étant « *'oummi* », c'est-à-dire analphabète, il n'avait donc pas pu « lire » les écrits chrétiens et juifs et « écrire » le Coran.

Pour jauger la portée de cet argument, il faut d'abord reconnaître que le Coran comporte plusieurs récits mettant en scène des personnages de la Bible comme Adam, Noé, Moïse, Abraham, Jésus. On doit par ailleurs reconnaître que ces récits diffèrent souvent des récits bibliques canoniques.

Ce que l'on remarque, au-delà des détails, c'est la différence de portée, d'argumentaire. Dans la Bible, par exemple, l'histoire de Joseph tend à démontrer que Yahvé choisit gratuitement qui il veut pour réaliser ce qu'il veut pour son peuple ; dans le Coran, le récit tend plutôt à illustrer le fait que Joseph, considéré comme messager de Dieu, a été en butte à la persécution, et qu'il ne faut pas s'étonner, par conséquent, si Mohammed, à son tour, est contesté dans sa mission de prophète.

Ceci dit, même si Mohammed avait été analphabète – ce qui n'est pas certain – il aurait très bien pu entendre et faire siennes des histoires bibliques véhiculées par la tradition orale des juifs et des chrétiens présents en Arabie, à La Mecque comme à Médine. En effet, la transmission orale était le principal véhicule de la culture, et les révélations du Coran seront elles-mêmes mémorisées et transmises oralement avant d'être consignées par écrit et colligées systématiquement.

En contrepartie, on peut noter que les écrits bibliques judaïques contiennent des éléments empruntés à la littérature des peuples ambiants, et que les écrits bibliques chrétiens ont fait des emprunts substantiels aux écrits de la Bible judaïque. Cela ne semblait pas empêcher juifs et chrétiens de croire à l'origine divine de leur Bible. On constate ici que l'apologétique – la défense de la religion par des arguments rationnels – est une science à géométrie variable, selon qu'on l'applique à sa propre croyance ou à celle des autres. Son principal mérite est de rassurer dans leur croyance ceux qui sont déjà convaincus de sa vérité plutôt que de convertir ceux qui en doutent.

Comment Mohammed pouvait-il être Prophète tout en étant homme politique et polygame ?

Pour des Occidentaux sécularisés, habitués à la distinction étanche entre le politique et le religieux et à la séparation entre l'Église et l'État, il est difficile de concevoir que le même homme puisse se présenter comme messager de Dieu et, au nom de cette mission, fonder et gérer un État avec tout ce que cela implique d'affrontements militaires, de manœuvres diplomatiques et de décisions judiciaires et administratives. Dans le contexte de l'époque, en particulier en Arabie, la vie de la société était un tout pratiquement inséparable. Il paraissait donc tout à fait normal que Mohammed ne se contente pas de prêcher l'islam mais qu'il mette aussi en œuvre les moyens à sa disposition pour traduire en action et en réalité sociale les paroles qu'il transmettait.

Encore aujourd'hui, certains musulmans prennent appui sur l'exemple du Prophète pour réclamer qu'un État musulman soit un tout au service de l'islam et gouverné par des hommes religieux. Pour d'autres, par contre, la situation du Prophète à Médine était unique et a pris fin avec sa mort, si bien que, par la suite et jusqu'à aujourd'hui, les califes et les gouvernants civils n'avaient pas juridiction dans le domaine religieux, tandis que les chefs religieux n'intervenaient pas dans la gestion de l'État.

Par ailleurs, le fait que Mohammed était polygame soulève un autre genre de question, une question de mœurs qui dépend de la conception que l'on se fait d'un prophète, d'un envoyé de Dieu. En contexte chrétien, cette conception est définie plus ou moins consciemment par la figure de Jésus-Christ et, pour bien des chrétiens, cette figure est elle-même marquée par une dichotomie entre le divin et le sexe, une méfiance envers la femme, un arrière-fond de manichéisme qui associe femme et souillure.

Mohammed, lui, ne s'est présenté ni comme Dieu ni comme fils de Dieu, et il n'est pas considéré comme Dieu par les musulmans. Dans ce contexte, le Prophète est un homme comme les autres, qui a une sexualité, même s'il a été choisi par Allah comme transmetteur du message révélé. Le Coran transmis par Mohammed n'a pas introduit la polygamie ; il l'a plutôt réglementée en permettant aux croyants d'avoir jusqu'à quatre épouses (Coran, chapitre 4, verset 3). Quant au Prophète, un autre passage du Coran (chapitre 33, versets 50-52) l'exempte de cette règle et l'autorise à avoir plus de quatre épouses. On peut alors se demander si le Coran s'est ajusté aux désirs sexuels de Mohammed. C'est en tout cas ce que pourrait laisser croire un *hadith* (récit, tradition) qui fait dire à Aïcha, épouse préférée de Mohammed : « Ton maître est bien empressé de répondre à ton désir. » Si cette tradition a été rapportée et consignée dans le recueil de Bokhari, autorité en matière de traditions, c'est sans doute parce que, pour les premiers musulmans, son contenu ne remettait pas en question la bonne foi de Mohammed et l'origine divine du Coran. Cela n'a pas empêché les critiques de Mohammed, de son vivant jusqu'à aujourd'hui, d'invoquer cet épisode et l'argument de la polygamie pour conclure que Mohammed ne pouvait être un « vrai » prophète. Comme quoi l'appréciation des faits de ce genre dépend en grande partie des positions de chacun en matière de croyances.

Le Coran, livre sacré des musulmans, contient-il de façon intégrale et exclusive les révélations venant d'Allah, par l'intermédiaire de l'ange Gabriel, reçues et transmises par Mohammed ?

Pour les théologiens musulmans, la réponse est claire et nette : le Coran est mot à mot la parole d'Allah telle qu'elle a été transmise en arabe à Mohammed, fidèlement récitée par ce dernier, mise par écrit et soigneusement conservée jusqu'à nos jours. Pour les historiens, il fait peu de doute que le texte du Coran qui se présente à nous corresponde fidèlement au texte fixé définitivement au VIIIe siècle. Mais quand il s'agit de savoir ce qui s'est passé avant cette date, on constate certaines zones problématiques dans la transmission des paroles du Coran. Nous allons brièvement évoquer ces zones en les situant par rapport aux diverses étapes qui ont jalonné l'établissement et la fixation du texte du Coran.

Calligraphie du nom d'Allah

Allah est considéré par les musulmans comme l'auteur unique du Coran, le livre sacré de l'islam.

LA RÉCEPTION DES RÉVÉLATIONS CORANIQUES

Mohammed a commencé à recevoir des révélations vers 610. La réception des paroles de l'ange s'accompagnait habituellement de phénomènes psychosomatiques qui plongeaient le Prophète dans une sorte d'état second. Pour Mohammed et son entourage, les paroles qu'il recevait alors et qu'il répétait ensuite étaient vraiment distinctes de celles qu'il disait à titre personnel. Le Coran lui-même met Mohammed en garde contre une certaine interférence – bien involontaire – de sa part : « Ne remue pas ta langue en le recevant pour en hâter la révélation. [...] quand nous le récitons, suis-en la récitation » (Coran, chapitre 75, versets 16-19).

Une interférence beaucoup plus dangereuse était celle de Satan, le Diable, comme en fait foi l'expression « versets

Salman Rushdie,
au moment d'une entrevue
à la télévision britannique
(BBC).

Photo : BBC.

Versets sataniques

En donnant le titre
Les Versets sataniques
à l'un de ses romans,
l'écrivain Salman Rushdie
faisait référence à
l'épisode des versets
sataniques rapporté par
la tradition islamique
et l'amplifiait
considérablement en
faisant intervenir un
personnage historique,
Salman, scribe et
conseiller de Mohammed,
qui, sous la plume de
Rushdie, poussait
l'audace jusqu'à modifier
les versets dictés par
Mohammed sans que ce
dernier s'aperçoive de la
supercherie. Cette remise
en cause de l'inspiration
divine du Coran, même
si elle était faite sous le
couvert de la fiction
littéraire, a valu à Rushdie
d'être considéré par
l'ayatollah Khomeyni
comme un apostat digne
de la peine de mort.

sataniques » utilisée par la tradition islamique. À l'instar des prophètes antérieurs, Mohammed devait se défendre contre Satan qui tentait de mêler ses chuchotements aux révélations, comme l'indique le Coran (chapitre 22, verset 52 ; chapitre 7, verset 200 ; chapitre 23, verset 97 ; chapitre 41, verset 36 ; chapitre 16, verset 98). Selon l'historien Tabari, Mohammed se serait fait tromper en récitant deux brefs versets qui reconnaissaient trois déesses vénérées par les Mecquois. L'ange Gabriel lui fit bientôt savoir que ces deux versets étaient l'œuvre de Satan, d'où l'expression « **versets satanique**s » ; puis Allah révéla le verset 52 du chapitre 22, qui remettait les pendules à l'heure en niant toute existence réelle aux trois déesses.

LA RÉCITATION DES VERSETS RÉVÉLÉS

Même une fois assurée la provenance divine du message, le messager pouvait faire une erreur ou commettre un oubli en récitant aux fidèles les versets entendus. Cette possibilité semble être prise en charge par l'auteur du message. En effet, le verset 106 du chapitre 2 énonce : « Dès que nous abrogeons un verset ou dès que nous le faisons oublier, nous le remplaçons par un autre, meilleur ou semblable. » On lit aussi au verset 101 du chapitre 16 : « Lorsque nous changeons un verset contre un autre verset – Dieu sait ce qu'il révèle – ils disent : "Tu n'es qu'un faussaire !" Non ! Mais la plupart d'entre eux ne savent pas. » Il faut noter ici que le « nous » réfère à Allah, le locuteur par excellence. Dans le Coran, c'est toujours Allah qui parle, lui qui est considéré par les musulmans comme l'auteur unique de ce « Livre sublime ». Ainsi, dans l'optique de ces passages, même dans le cas où Mohammed aurait oublié une révélation, cet oubli aurait été contrôlé par Dieu et serait devenu un moyen par lequel l'auteur divin fixe le contenu final de son livre. Cela revient à dire que le Coran se dotait d'une sorte d'autovalidation qui coupait court aux allégations d'omissions.

LA MÉMORISATION ET LA MISE PAR ÉCRIT DES VERSETS

Par leur facture même, les paroles entendues et répétées par Mohammed tranchaient sur le langage courant aussi bien que sur le langage des poètes et des devins. Pour les fidèles du Prophète, ce caractère inimitable des versets coraniques constituait un « miracle », une preuve de leur origine divine. Pas étonnant alors que plusieurs croyants aient pris l'habitude de mémoriser et de réciter à leur tour ces paroles sublimes. Dans un contexte où le culte du verbe était pratiquement la seule forme d'art et où les écrits étaient une rareté, la mémoire vivante était de loin le meilleur véhicule de transmission et de conservation des paroles qui marquaient le cœur et l'imagination. Cela n'empêchait pas certains croyants de mettre par écrit sur des matériaux de fortune les versets qui les frappaient particulièrement. Même s'il approuvait cette pratique, il semble que Mohammed n'en ait pas fait une entreprise systématique.

LA RECENSION DES VERSIONS

Tant que le Prophète vivait, il était garant et arbitre des variantes qui pouvaient surgir dans la récitation des révélations, mais après sa mort, en 632, on commença à s'inquiéter du sort des versets coraniques, d'autant plus que les fidèles mémorisateurs du Coran voyaient leurs rangs décimés dans les batailles de l'expansion fulgurante de l'Islam après la mort de Mohammed. Voyant disparaître ces copies vivantes du Coran, le premier **calife**, Abou Bakr (632-634), demanda à Zaïd, un secrétaire de Mohammed, de regrouper les fragments écrits qui lui étaient accessibles, mais cette première

Calife

Le calife était le successeur de Mohammed comme « commandeur des croyants » mais non comme Prophète. Le califat ottoman, dernier en lice, a été officiellement aboli en 1924 par Atatürk.

recension ne supplanta pas d'autres collections person-
nelles, qui continuaient d'exister aux quatre coins de
l'empire naissant, comme celle d'Oubaï, ex-secrétaire de
Mohammed et administrateur en Syrie, comme celle d'Ali,
gendre de Mohammed et premier imam des chiites, ou
encore comme celle de Mas'oud, serviteur de Mohammed.

LA FIXATION DÉFINITIVE DU TEXTE CORANIQUE

Une vingtaine d'années plus tard, le calife Othman (644-
656) demanda à Zaïd de rassembler et de fusionner les
différents recueils. Ce travail aboutit à la recension dite
d'Othman et que ce dernier fit distribuer vers 650 dans les
six provinces de l'empire musulman d'alors. Il ordonna en
même temps de détruire tous les manuscrits antérieurs. C'est
ainsi que fut à peu près fixé pour les siècles à venir le texte
officiel du Coran. Une fois fixé de cette manière, même à
supposer qu'il ne contiendrait pas toutes les révélations
récitées du vivant de Mohammed, le texte du Coran est réputé complet, au sens où il transmet aux humains tout ce
qu'Allah avait l'intention de leur donner pour guider leur
agir. Sous le califat d'Abd al-Malik (685-705), on améliora
le système d'écriture arabe en introduisant, entre autres,
des signes précis pour les voyelles, de façon à restreindre
les variantes de lecture au moment de la récitation. Au
Xe siècle, on arrêta à sept le nombre de « lectures » (versions)
autorisées, qui, de toute façon, portaient sur des points
mineurs et n'entamaient pas vraiment le sens du texte.
Pendant des siècles, le Coran a été retranscrit à la main et
magnifiquement enluminé par des calligraphes qui pas-
saient leur vie à ce pieux exercice, jusqu'au moment où, en
1923, l'Université d'al-Azhar, au Caire, fit les ajustements
techniques requis pour établir un standard d'imprimerie.
Ce que l'on appelle depuis « l'édition du Caire » est devenu

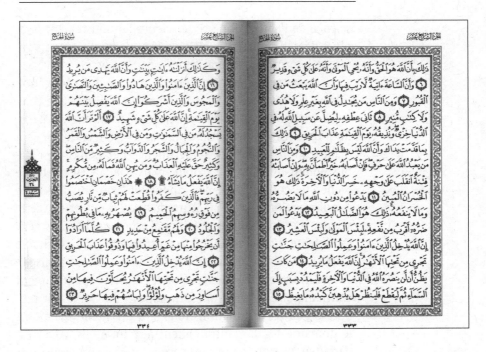

le texte arabe de référence à partir duquel sont faites la plupart des traductions dans de nombreuses langues.

LES « VERSETS ABROGEANTS » ET LES « VERSETS ABROGÉS »

Ce bref survol a laissé en plan une question qui, à première vue, pourrait avoir trait à l'intégrité du texte coranique ; qu'entend-on par « versets abrogeants » et « versets abrogés » et par « science de l'abrogation » ? Le terme « abrogation » *(naskh)* apparaît à quelques reprises dans le Coran sous la forme d'un principe général, sans que le Coran lui-même précise à quels passages particuliers il s'applique. C'est précisément cette absence d'application précise qui permettra aux juristes musulmans de faire du principe général le point de départ de l'une des sciences religieuses islamiques, la

Un Coran imprimé

L'imprimerie moderne a pris la relève de la calligraphie traditionnelle pour donner un nouvel essor à la diffusion du texte du Coran.

science de l'abrogation; cette science aura justement pour objet de déterminer à quels versets et de quelle façon s'applique le principe général énoncé par le Coran.

Très vaste et fort complexe, la science de l'abrogation intéresse avant tout le domaine juridique plutôt que celui de la critique textuelle proprement dite. En effet, à partir du moment où le texte du Coran avait été fixé, le concept d'abrogation perdait de sa pertinence par rapport à l'établissement du texte du Coran, mais il allait susciter une recherche considérable par rapport au contenu juridique des dispositions du Coran. Autrement dit, l'objectif de cette science n'est pas tant de savoir quel est ou quel était le véritable texte du Coran que de savoir quelle est la véritable disposition légale prescrite par le Coran. Ce qui a suscité l'apparition de cette science, c'est le caractère apparemment contradictoire de certaines affirmations du Coran par rapport à d'autres affirmations touchant un même sujet dans le domaine légal. Contrairement aux humains, Allah est parfaitement cohérent et ses paroles, c'est-à-dire les versets du Coran, ne peuvent pas se contredire. Dans cette optique, on présume que les contradictions ne sont pas imputables aux versets eux-mêmes mais à la compréhension que les humains en ont.

Puisque le Coran lui-même parlait d'abrogation, ce concept a été utilisé par les premiers juristes musulmans pour lever les contradictions apparentes dans le texte du Coran. Au terme de son évolution, la « science de l'abrogation » a permis de dresser des listes de « versets abrogeants » et de « versets abrogés ». Sur le plan concret, cette science a eu pour effet de déclarer abrogée l'application juridique de certains versets, mais sans les biffer du texte même du Coran, qui avait déjà été fixé. Il ne s'agit donc pas d'abrogation au sens où l'on supprime un texte légal pour le remplacer par un autre. L'intégrité textuelle du Coran reste donc sauve même si son emprise pratique se trouve modifiée.

Au-delà du caractère peu systématique et de l'apparence désorganisée du texte coranique, quelle vision du monde et de la destinée humaine peut-on trouver dans le Coran ?

Le Coran est un livre d'une longueur correspondant environ au tiers de celle de la Bible. Le fait qu'il en existe plusieurs traductions en français ne le rend pas pour autant facile d'accès. Il est vrai qu'il est divisé en chapitres appelés « sourates » (*soura*, « révélation »), elles-mêmes divisées en versets appelés *ayat* (« signes », « prodiges »), mais, pour peu que l'on regarde le contenu des chapitres, on s'aperçoit que leurs titres ne coiffent pas vraiment un regroupement thématique de versets et que leur contenu est disparate. De plus, il arrive qu'un même thème se trouve dispersé dans divers chapitres. Ce caractère épars du texte tient en bonne partie aux moyens de fortune avec lesquels les divers fragments ont été recueillis et placés dans les sourates. Ces dernières ont pour leur part été classées par ordre de longueur décroissante, à l'exception de la *Fatiha*, sourate d'ouverture. Ce genre de classement n'est pas de nature à séduire des esprits friands de logique, mais il a le mérite de poser en clair le fait que le Coran n'est pas un traité de philosophie ou de théologie et qu'il n'est pas non plus un exposé systématique de la foi musulmane.

LA CRÉATION DE L'UNIVERS

Au-delà de son aspect touffu et déroutant, le Coran propose une vision cohérente du monde et de la destinée humaine, une vision que l'on peut reconstituer comme suit. Allah, dieu unique et transcendant, crée ce qu'il veut par la seule puissance de sa parole. C'est ainsi qu'il crée l'Univers, manifestation de sa bonté et de sa générosité. Pour ceux qui savent comprendre, les merveilles de la nature sont autant de signes, de traces du Créateur. Après avoir créé ciel et Terre, Allah crée les anges, qui célèbrent ses louanges et sont ses messagers auprès des humains. L'un d'eux, Iblis, désobéit toutefois à ses ordres, encourt la malédiction divine, devient Satan *(Shaytan)* et s'emploiera désormais à montrer aux humains le chemin du mal.

LA CRÉATION DES HUMAINS

Comme couronnement de son œuvre, Allah crée les humains d'un seul être, Adam, et de celui-ci il tire sa compagne. En créant les humains, Allah établit avec eux un pacte, en fait ses intendants sur la Terre et leur donne un ordre *(amr)* particulier, celui de « retourner » vers lui. Ce retour vers Allah n'est pas chose facile à cause de la faiblesse et de l'inconstance des humains. Cette faiblesse congénitale nécessite l'intervention d'Allah, qui, dans sa grande bonté et en toute justice, enseigne à Adam, premier homme et premier prophète, comment se comporter en ce monde pour retourner vers Allah et recevoir de lui la récompense du paradis. La voie du retour, c'est, de façon globale, l'obéissance et la soumission à Allah, l'*islam*.

LA LIGNÉE DES PROPHÈTES, D'ADAM À MOHAMMED

Les humains étant ce qu'ils sont, ils s'éloignent bientôt du chemin tracé par Allah et oublient leur Créateur et maître. Dans sa grande bonté, celui-ci leur envoie de nouveau un messager, un prophète qui les interpelle en leur rappelant le message initial. Les humains se ressaisissent,

mais finissent par retomber dans l'ornière de la désobéis-
sance, jusqu'au moment où Allah envoie un autre prophète.
Cette séquence se répète plusieurs fois, formant ce que l'on
pourrait appeler le cycle de la prophétie : message – oubli –
rappel – oubli... Ainsi, le Coran mentionne vingt-huit prophètes, dont dix-huit sont des figures bibliques de l'Ancien
Testament et trois du Nouveau Testament (Zacharie, Jean-
Baptiste et Jésus).

Parmi les prophètes coraniques, quatre prédominent et
préparent la venue de Mohammed. Noé est soumis à Dieu,
il fait l'*islam,* il est donc « musulman » ; son arche symbolise la reprise du pacte primordial avec Adam ; envoyé à ses
compatriotes pour les rappeler à l'ordre, il est victime de
leur incrédulité, tout comme le sera Mohammed. Abraham
est « l'ami d'Allah », messager de la foi au Dieu unique. Forcé
de s'exiler, il est prêt à immoler en sacrifice le fils qu'un
prodige divin lui a donné, mais Allah l'en empêche et ins-
titue le sacrifice solennel que commémorent toujours les
rites du pèlerinage à La Mecque ; c'est à ce sacrifice que
s'associent les musulmans à travers le monde par la « fête
du mouton » (méchoui). Moïse, quant à lui, est l'interlo-
cuteur d'Allah, celui qui va à la rencontre de Dieu sur la
montagne et qui reçoit les Tables de la Loi. Le Jésus du Coran
est simplement « fils de Marie », ni Dieu ni Fils de Dieu,
même s'il occupe une place privilégiée dans le Coran et dans
le cœur des croyants. Sa naissance virginale et la longue
suite de miracles qui jalonnent sa vie ne réussissent pas à
convaincre ses compatriotes qui le rejettent. Mais ce n'est
pas en croix qu'il meurt, car ce n'était là qu'une apparence
et il ressuscitera au jour du Jugement.

Mohammed prend la relève des prophètes qui l'ont
précédé en se présentant comme un avertisseur, un annon-
ciateur, un témoin. Le message qu'il apporte – le Coran –

rappelle et confirme les livres antérieurs : la Torah donnée à Moïse, les Psaumes donnés à David, et l'Évangile donné à Jésus. En même temps, il complète et met un point final à la révélation, il est le dernier des prophètes, et le Coran scelle à jamais la Révélation.

L'ISLAM COMME CHEMIN DU RETOUR VERS ALLAH

Désormais, les humains connaissent le chemin du retour vers Allah, axé sur les valeurs privilégiées que sont la soumission, la justice, l'égalité, la patience, la tolérance, le pardon et la paix. Le chemin tracé par Allah va s'expliciter et se déployer dans la voie *(charia)* de la loi qui guide le croyant en lui indiquant ce qu'il doit faire dans toutes les circonstances de la vie quotidienne. Au premier chef, il y a les « cinq piliers de l'islam » : la profession de foi, la prière rituelle cinq fois le jour, le jeûne du mois de Ramadan, l'aumône et le pèlerinage à La Mecque. Est interdite par la loi islamique la consommation d'alcool, de stupéfiants, de porc et d'animaux non tués selon les rites. Le prêt à intérêt et la représentation d'êtres vivants sont eux aussi interdits. Des rites de passage et des fêtes annuelles ponctuent la vie des croyants et leur rappellent qu'ils ont été créés pas Allah et sont en état de retour vers lui.

AU BOUT DU CHEMIN

Au terme de leur périple sur Terre, les humains se présentent devant Allah pour le jour du Jugement. Ce jour-là, les morts ressusciteront et seront rassemblés par les anges pour être jugés. Chaque atome de bien et de mal sera mis dans la balance par les deux anges qui se tiennent aux côtés de chaque être humain comme témoins de son agir. Ceux qui auront rempli le mandat d'une vie soumise à Allah recevront en récompense les délices éternelles du paradis, tandis que les autres seront précipités dans les feux de l'enfer.

On ne s'étonnera pas des similarités entre la vision coranique de la destinée humaine et celle de la tradition judéo-chrétienne si l'on se rappelle que l'intervention de Mohammed et du Coran s'adressait à un milieu où étaient présents des juifs et des chrétiens et où circulaient des récits ancrés dans un vieux fond sémite : après tout, les Arabes étaient, eux aussi, des **Sémites**...

Peut-on appliquer au texte du Coran les méthodes modernes d'interprétation des textes, en particulier celles mises en œuvre par les exégètes de la Bible ?

Au départ, il faut se rappeler que, dans l'optique officielle de l'orthodoxie musulmane, le texte arabe du Coran est mot à mot directement inspiré par Allah et littéralement transmis par l'ange Gabriel au prophète Mohammed. Allah est donc l'auteur du Coran, et l'on ne peut traiter ce texte sacré comme s'il s'agissait d'une œuvre écrite par un être humain. On comprend alors facilement la grande méfiance que notre question suscite chez beaucoup d'interlocuteurs musulmans, car, à leurs yeux, les méthodes modernes d'exégèse traitent les écrits sacrés comme s'ils avaient été rédigés par des humains. Si des chrétiens veulent faire cela avec la Bible, libre à eux de le faire, au risque de saper les fondements de leur foi ; mais, de grâce, qu'ils ne touchent pas au Coran des musulmans !

Pour d'autres musulmans, le Coran est certes un livre divinement inspiré et éternellement intouchable. Cependant, c'est un livre ouvert dont la richesse de sens est tellement inépuisable que la compréhension qu'en ont les

Sémites

Le terme « sémites » a été appliqué aux peuples appartenant à un groupe linguistique qui comprend notamment les Babyloniens, les Assyriens, les Chananéens, les Phéniciens, les Israélites, les Araméens, les Arabes et les Éthiopiens. Ces peuples ont joué un grand rôle dans le Proche-Orient dès l'aube de l'histoire. Le monde actuel leur doit l'écriture alphabétique et les trois grandes religions monothéistes : le judaïsme, le christianisme et l'islam.

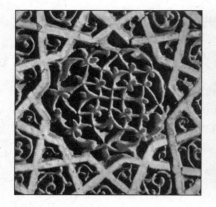 

Motif en arabesque ornant la façade d'une mosquée　　**Motif en stalactite ornant la façade d'une mosquée**

Le Coran est un livre ouvert sur l'infini divin. On peut en scruter le sens mais on ne peut l'enfermer dans des catégories humaines étanches et bien délimitées. L'art islamique évoque cette ouverture sur l'infini par des motifs décoratifs à la fois stylisés et pleins de mouvement. *Photos : J.-R. Milot*

croyants évolue avec le temps. Jusqu'où peut-on aller dans l'utilisation de méthodes et d'outils modernes d'interprétation sans remettre en cause l'inspiration divine et le caractère sacré du Coran ? Les tenants de la compréhension évolutive du Coran répondent que les musulmans peuvent et doivent faire aujourd'hui ce que leurs ancêtres ont fait autrefois, c'est-à-dire utiliser toutes les ressources de leur époque pour scruter le texte du Coran et en découvrir les virtualités illimitées. Cet argument pointe dans la direction de l'activité considérable déployée aux premiers siècles de l'islam pour créer les outils nécessaires à une meilleure compréhension du livre sacré.

Déjà, le texte coranique fixé sous le calife Othman vers 650 s'accompagnait de la mention « Révélé à La Mecque » ou « Révélé à Médine » pour chaque chapitre, ce qui donnait un premier repère chronologique. Bientôt, on vit prendre forme une discipline qui s'appliquait à retracer les « circonstances » *(asbab)* de la révélation d'un passage coranique. Par certains aspects, cette démarche ressemblait au **sitz im leben** des exégètes bibliques modernes. Il s'agissait de déterminer le contexte immédiat d'une révélation, l'événement ou le problème qui en avait été l'occasion, la situation où se trouvaient le Prophète et son entourage au moment de la révélation.

En même temps, on produisait des grammaires et des lexiques de la langue arabe, des concordances, c'est-à-dire des index qui signalaient tous les passages du Coran dans lesquels apparaissaient un mot et ses dérivés, tout cela pour mieux saisir le sens des termes coraniques. Allant au-delà de la composante littérale et littéraire du texte, de nombreux commentaires *(tafsir)* du Coran virent le jour pour tenter d'expliquer certains passages plus obscurs du livre. Toutes ces activités étaient sans doute stimulées par la piété et la conviction du caractère sublime et inimitable du Coran. Elles répondaient aussi à des motifs pratiques : les besoins d'une collectivité qui grandissait et se diversifiait rapidement exigeaient une compréhension plus approfondie du Coran et de ses implications concrètes pour un vécu qui avait de moins en moins de choses en commun avec celui de Médine.

Aujourd'hui, les résultats de ces activités sont encore palpables et trouvent un point d'application dans certaines traductions du Coran faites par des experts musulmans. On y trouve, en marge de certains versets plus difficiles, des commentaires et des explications puisés à même le répertoire traditionnel, mais aussi des remarques qui font écho aux interrogations actuelles par rapport à certains aspects du Coran. D'autres chercheurs musulmans, rompus aux sciences et à la technologie modernes prennent la relève des anciennes concordances en produisant des logiciels d'analyse du Coran, en utilisant des méthodes d'analyse

Sitz im leben

Littéralement : « place dans la vie », c'est-à-dire, dans ce contexte, place dans le temps et l'espace.

des réseaux sémantiques et conceptuels pour mettre en relief ses concepts fondamentaux. Cela peut fournir un éclairage nouveau sur la façon de vivre l'islam dans le monde actuel tout en restant ancré dans le monde des valeurs coraniques.

Les méthodes d'analyse sémantique dont nous venons de parler ont l'avantage de s'appliquer à un corpus donné qu'elles acceptent *a priori* comme objet sans se poser de questions sur l'historicité du texte. En comparaison, les méthodes dites historico-critiques paraissent presque blasphématoires au sens où elles cherchent à établir les diverses strates rédactionnelles du texte, à en identifier les auteurs historiques possibles ; cela cadre mal avec la conviction qu'Allah est le seul et unique auteur du Coran et que chaque mot est cautionné par l'autorité divine. Par ailleurs, les méthodes d'analyse des genres littéraires se situent dans une zone plus acceptable. Sans remettre en cause le texte, elles peuvent contribuer à en saisir l'impact en précisant, par exemple, que par sa forme littéraire tel passage se présente comme un récit, une interpellation, une réglementation ou un simple conseil.

Les chercheurs non musulmans bénéficient généralement d'une marge de manœuvre plus grande que leurs collègues musulmans par rapport à l'orthodoxie puisqu'ils ne professent pas la foi islamique. Ils en ont profité pour pousser assez loin certaines approches du Coran, comme par exemple l'établissement d'une chronologie des versets du Coran. La recherche des « sources » du Coran a permis de mettre en relief les composantes judéo-chrétiennes du message coranique. L'histoire comparée peut contribuer à saisir la portée de certaines expressions coraniques en identifiant leur provenance non arabe. Devant les résultats de toutes ces approches modernes, l'attitude des musulmans actuels varie considérablement, allant de la méfiance la plus totale jusqu'à l'adoption sélective, pour les raisons que nous venons d'évoquer.

Peut-on vraiment traduire le Coran ? Que faut-il penser des traductions du Coran que l'on trouve en librairie ?

« Traduire c'est trahir », dit un proverbe italien. Cela est vrai même pour un document aussi peu littéraire que le mode d'emploi d'un rasoir électrique. Traduire un document aux facettes aussi complexes que le Coran, c'est faire face à des défis peu ordinaires. Tout d'abord, pour bien des croyants musulmans, le Coran est strictement intraduisible, théologiquement parlant, puisque le texte arabe constitue la « Parole incréée d'Allah », ses propres mots, qui acquièrent de ce fait une valeur sacrée. En traduisant ce texte comme s'il était l'œuvre d'un auteur humain, on risque de le profaner. Tout au plus peut-on tenter d'en transposer la signification dans une autre langue et l'on donnera alors comme titre à cet écrit *The Meaning of the Glorious Qur'ân*, comme l'a fait, en 1938, Marmaduke Pickthall, premier traducteur anglais musulman du Coran, qui endossait la position traditionnelle des « vieux cheikhs ». Depuis ce temps, de nombreux experts musulmans ont présenté au grand public des **traductions** en diverses langues en titrant tout simplement *Le Saint Coran,* comme l'a fait, par exemple, Muhammad Hamidullah (Amana, 1989). Mais, dans un cas comme dans l'autre, les traducteurs musulmans demeurent généralement assez près du mot à mot arabe, quitte à ce que le sens du texte ne soit pas apparent.

Une fois franchie la réticence doctrinale à traduire le Coran, le traducteur se trouve confronté à une autre difficulté

Traductions

En français, deux traductions du Coran sont particulièrement recommandées :

D. Masson, *Le Coran.* D'abord publiée dans la « Bibliothèque de la Pléiade », en 1967, puis régulièrement rééditée dans la collection « Folio », chez Gallimard, cette traduction comporte une introduction, des notes, un index et un survol thématique ; ce dernier est particulièrement utile au lecteur occidental, qu'une lecture linéaire du Coran risque de décourager ;

Jacques Berque, *Le Coran : essai de traduction de l'arabe annoté et suivi d'une étude exégétique,* Paris, Albin Michel, 2002.

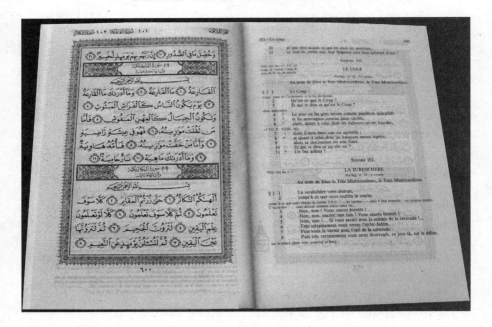

Pages d'une traduction du Coran

Les moyens modernes d'impression ont permis de produire des traductions du Coran montrant côte à côte le texte arabe original à gauche et la traduction en français à droite.

Photo : J.-R. Milot

de taille, à savoir le caractère littéraire du Coran. Le caractère inimitable du Coran est affirmé comme un miracle qui authentifie la mission du Prophète face aux incrédules : « Même si les hommes et les *djinn* (« génies ») s'unissaient pour produire quelque chose de semblable à ce Coran, ils ne produiraient rien qui lui ressemble, même s'ils s'entraidaient » (Coran, chapitre 17, verset 88).

Que l'on soit croyant ou non, la fréquentation du texte arabe du Coran permet d'en découvrir toute la richesse et toute la beauté. Il s'agit d'une prose souvent rimée qui ne correspond pas aux canons de la poésie arabe. On y trouve une grande variété de styles selon le moment et les circonstances des révélations : des versets courts, au style poétique, interpellant, incantatoire ; des versets plus longs, au style tantôt polémique tantôt lyrique ; des versets au style

oratoire, impératif, ou encore simplement réaliste ou dé-
claratoire. Le rythme est souvent prenant avec sa répétition
de phrases courtes martelées comme des leitmotivs, allant
de l'interpellation provocante jusqu'au récit attendrissant,
aux paroles de compassion et de consolation. La récitation
chantée par des experts vient ajouter à la capacité d'envoû-
tement du texte. Ce qui fait la beauté du Coran est en même
temps ce qui rend la tâche du traducteur difficile. Pour
mieux rendre l'effet global du texte, il faut souvent en sa-
crifier la littéralité ; pour que le lecteur tire un sens de ce
qu'il lit, il faut faire des choix entre diverses significations
possibles. C'est ce qu'ont fait bon nombre de traducteurs,
avec des résultats parfois discutables, mais qui ont le mérite
de rendre accessible l'écrit arabe le plus fréquenté au fil des
siècles.

Comment expliquer l'expansion foudroyante du pouvoir musulman au lendemain de la mort de Mohammed ?

Cette question a depuis toujours fasciné et, il faut bien le
reconnaître, souvent médusé les historiens. Un cliché qui a
la vie tenace à tout le moins dans les légendes populaires,
c'est celui représentant les cavaliers d'Allah qui brandissent
leurs grands sabres et qui, le regard enflammé par la ferveur
religieuse, partent à la conquête du monde, convaincus
qu'ils ont été divinement mandatés pour imposer l'islam
au reste de l'humanité. Ce cliché a été depuis longtemps
délaissé par la plupart des historiens ; ils ont alors dû trouver
d'autres éléments d'explication pour essayer de comprendre
comment une horde de Bédouins arabes, sans véritable expérience militaire, ont pu se lancer dans une entreprise
d'expansion rapide, affronter et vaincre les armées des deux

grands empires de l'époque – l'Empire byzantin à l'ouest et l'Empire perse sassanide à l'est – s'aventurer à des milliers de kilomètres de leur terre d'origine et mettre en place un système efficace de contrôle et de gestion des vastes territoires ainsi conquis.

Cet exploit peu commun est-il un accident de parcours ou est-il la mise en œuvre systématique d'un plan d'action clairement défini et motivé dès le départ ? Quels que soient les motifs qui les inspiraient, comment les premiers musulmans ont-ils été capables de renverser le sort qui les défavorisait en nombre aussi bien qu'en expertise ? Les théologiens médiévaux, selon qu'ils étaient musulmans ou chrétiens, pouvaient voir dans tout cela une intervention divine, ou une manœuvre diabolique. Les historiens ont pour leur part identifié un certain nombre de facteurs en scrutant le contexte de l'époque. Le facteur religieux ne peut certes pas être ignoré, mais examinons pour l'instant d'autres facteurs d'ordre plus terre à terre.

Des motifs d'expansion, on en trouve dans les besoins de nourriture, de pâturage et de butin. Depuis la nuit des temps, ces besoins avaient amené les Sémites de la péninsule à déborder périodiquement vers le Croissant fertile, cette région convoitée qui englobait la Palestine, le Liban, la Syrie et la Mésopotamie et qui ceinturait le désert arabosyrien. À la veille de l'islam, il semble que les conditions climatiques de l'Arabie allaient en se détériorant, ce qui rendait la vie encore plus dure et incitait les Arabes à émigrer vers le nord. Dans les mouvements de migration antérieurs, les Arabes demeuraient habituellement à la périphérie des deux grands empires de l'époque et tendaient à s'assimiler au milieu ambiant. Au temps de Mohammed, deux de ces tribus arabes émigrées agissaient comme États tampons pour contenir les Arabes de la péninsule ; c'est ainsi

que l'Empire byzantin était protégé par les Ghassanides et
l'Empire perse sassanide par les
Lakhmides. Or, ces deux tribus
avaient vu leur condition se dé-
tériorer par suite des mauvais
traitements infligés par les gouvernants des deux empires. Pas
étonnant qu'ils se soient joints
aux Arabes musulmans pour affronter les Byzantins et les Perses.

Les Arabes émigrés ne furent
pas les seuls à accueillir favora-
blement les conquérants musulmans. Dans l'Empire byzantin,
les dirigeants grecs s'étaient graduellement aliéné les populations
des provinces de Syrie et d'Égypte ;
les différences culturelles s'étaient
traduites en différences religieuses

Page d'une encyclopédie musulmane du XIVᵉ siècle

Les chevaux au service
des « cavaliers d'Allah »
ont joué un rôle primordial
dans l'expansion
du pouvoir musulman.

Dans Les Merveilles
des créatures et les
Curiosités des êtres,
*Bagdad (?), 1388, page,
conservée à la BNF, Paris.*

par l'apparition d'églises chrétiennes orientales honnies par
l'orthodoxie grecque byzantine. Pour ces gens brimés par
les Byzantins, l'arrivée des musulmans était l'occasion d'un
changement d'allégeance au profit de conquérants qui semblaient beaucoup plus près de la culture locale que ne
l'étaient les maîtres byzantins. Du côté de l'Empire perse
sassanide, les choses n'allaient guère mieux. Des dissensions
internes fragilisaient un pouvoir central déjà affaibli par
les affrontements séculaires avec l'Empire byzantin. Les
populations de Mésopotamie, qui se sentaient margina-
lisées par un pouvoir central de culture indo-européenne,
offrirent peu de résistance aux armées musulmanes. En somme,
les conquérants musulmans arrivaient au bon moment pour

prendre la relève de deux empires moribonds et combler un vide politique.

Sur le plan social, le Coran et l'action du Prophète n'avaient pas eu pour effet de supprimer la culture et les allégeances tribales. À la mort de Mohammed en 632, les rivalités entre clans et entre tribus se sont fait sentir quand est venu le temps de désigner un successeur à Mohammed comme chef de la communauté musulmane. C'est pourquoi la guerre civile menaçait d'éclater chaque fois que l'on devait remplacer un calife, surtout lorsque l'on soupçonnait un clan rival de l'avoir assassiné. Dans un tel contexte, les conquêtes d'expansion devinrent un dérivatif des plus opportuns. L'énergie fraîche des tribus bédouines allait ainsi être déviée et canalisée vers un objectif extérieur commun. Cet objectif était en bonne part d'ordre économique et une question de survie ; il pouvait aussi être d'ordre religieux, surtout pour ceux que l'on appelait « les compagnons du Prophète ».

Quoi qu'il en soit des motivations individuelles, une chose semble certaine : l'islam, tel qu'il avait été proclamé par le Coran et structuré en communauté de croyants par l'action de Mohammed, était devenu un facteur d'identité et une force de cohésion qui ont permis aux Arabes d'éviter l'assimilation et la sujétion, sort qui avait été celui des migrations précédentes. Ceci dit, il resterait à expliquer le fait que les musulmans ont remporté victoire après victoire malgré leur infériorité numérique et technique. Cela demeure mystérieux mais, avant de crier au miracle, il faudrait peut-être crier au génie en regardant du côté des stratégies mises en œuvre par les premiers généraux et les premiers gouverneurs musulmans, des gens qui apprenaient sans doute très rapidement.

L'expansion rapide du pouvoir musulman a-t-elle suscité ou plutôt mis en veille l'idée d'une vocation universelle de l'islam ? Cette expansion signifie-t-elle que l'islam a été « propagé par l'épée », comme le veut une conception courante ?

On peut tout d'abord se demander si dans le Coran ou dans la pensée du prophète Mohammed on trouve l'idée d'une vocation universelle de l'islam, à savoir que l'islam est destiné à l'humanité entière. Ceux qui répondent par l'affirmative invoquent certains passages du Coran où il est question du *djihad* (« lutte ») ; ils interprètent ces passages comme signifiant que les croyants ont l'obligation de mener la lutte armée pour propager l'islam. Ils invoquent aussi des lettres que le Prophète aurait envoyées au gouverneur d'Alexandrie, au négus d'Abyssinie, à l'empereur de Byzance et au roi des Perses pour les inviter à se convertir à l'islam.

Ceux qui soutiennent le contraire citent à l'appui de leur position le verset 256 du chapitre 2 du Coran dans laquelle il est dit qu'« il n'y a pas de contrainte en religion ». Quant aux lettres que Mohammed aurait envoyées aux gouvernants des deux grands empires de l'époque, l'Empire byzantin et l'Empire perse sassanide, elles peuvent difficilement être tenues pour authentiques du fait que certains détails qu'elles mentionnent relèvent d'une époque postérieure à celle du Prophète. On fait aussi valoir l'argument qu'un homme politique aussi réaliste que Mohammed ne pouvait se laisser aller à rêver d'un ralliement universel à l'islam alors qu'il peinait sur son objectif immédiat, qui était la survie de la communauté musulmane et le contrôle de La Mecque.

Même en admettant que l'idée d'une vocation universelle de l'islam ait été absente du Coran et de la pensée du

Fort de Lahore (Pakistan)

Malgré la domination politique et militaire de l'Empire moghol en Inde, les musulmans sont demeurés une minorité vivant au milieu des hindous qui ont conservé leurs croyances et leurs pratiques.

Prophète, il faut reconnaître que cette idée est apparue assez tôt dans l'islam primitif et l'on peut chercher à savoir d'où elle vient. On pense alors aux compagnons du Prophète et aux premiers califes. Leur dévouement à la cause de l'islam et leur attachement pour l'œuvre de Mohammed les ont probablement poussés à étendre l'emprise de l'islam, mais ces gens étaient une minorité.

Pour la plupart des tribus arabes rapidement converties à l'islam et tentées d'apostasier à la mort du Prophète, il semble que l'expansion du pouvoir musulman était avant tout une entreprise économique et politique qui ne s'accompagnait pas nécessairement de la propagation de l'islam. Les premiers musulmans pouvaient en cela se réclamer de l'exemple du Prophète au moment où, par exemple, il avait soumis les chrétiens du Nadjran, une région de l'Arabie ; il les avait laissés libres de demeurer chrétiens, à condition qu'ils paient un tribut. Cette façon de faire deviendra la politique habituelle des conquérants musulmans. On peut donc penser que l'idée d'une vocation universelle de l'islam n'a pas été le motif déterminant des conquêtes, même si, pour les gens pieux, ces dernières ont pu être interprétées comme étant des signes que l'islam devait être prêché à l'humanité entière. C'est d'ailleurs ce que retiendra la théorie élaborée plus tard par les juristes musulmans et qui imposera aux croyants le devoir de propager l'islam.

Au moment même où elle a été formulée, la théorie du devoir de propager l'islam était depuis un bon moment déphasée par rapport à la réalité. On peut même avancer des arguments voulant que l'expansion rapide du pouvoir musulman ait contribué à mettre en veilleuse l'idée d'une vocation universelle de l'islam. Il y a d'abord un argument d'ordre théologique et juridique. Même sur le plan théorique, le devoir du *djihad* offensif, c'est-à-dire l'obligation de mener une lutte armée pour propager l'islam, est devenu rapidement une obligation collective et non individuelle ; et encore là, le geste symbolique de rassembler quelques soldats et d'aller aux portes de la ville suffisait à libérer la communauté de cette obligation.

Un autre argument, et de taille, c'est l'argument fiscal et économique. En effet, une portion très importante des revenus du trésor public provenait de la *djizya*, c'est-à-dire la capitation, le tribut annuel imposé à chaque non-musulman conquis. Le paiement de cet impôt assurait aux « **gens du Livre** » le statut de *dhimmis*, c'est-à-dire de « gens protégés » qui conservaient leur culte et leur système juridique. Ce statut sera étendu aux conquis d'autres dénominations, comme les zoroastriens en Iran, les bouddhistes et les hindous en Inde. Si tous ces gens s'étaient convertis à l'islam, les coffres du trésor public se seraient rapidement dégarnis, rendant difficile le financement des campagnes d'expansion. On comprend donc que les gouvernants musulmans, dont le pouvoir reposait sur l'expansion des conquêtes, n'aient pas déployé un zèle excessif pour convertir leurs nouveaux sujets.

« Gens du Livre »

Dans le Coran cette expression désigne ceux qui détiennent les Livres sacrés qui, dans l'optique musulmane, ont précédé et préparé le Coran, c'est-à-dire la Torah, les Psaumes et l'Évangile. Cette parenté spirituelle a valu aux juifs et aux chrétiens un statut privilégié en terre d'Islam. Ainsi, au moment des conquêtes musulmanes, ils gardaient leur foi, leur culte, leur législation religieuse et leurs tribunaux.

Ces considérations suggèrent que l'on doit soigneusement distinguer entre l'expansion du pouvoir musulman et la propagation de l'islam, l'une pouvant aller sans l'autre. Les cas isolés de conversions forcées ont été l'exception et non la règle. L'idée que l'islam a été propagé par l'épée a été abandonnée depuis assez longtemps par les historiens modernes, même si elle alimente encore certaines légendes irréductibles. L'usage de la force a contribué à établir le pouvoir musulman, mais cela ne faisait pas automatiquement de l'islam la religion des conquis.

Sans y être forcées, les populations conquises pouvaient adhérer à l'islam pour diverses raisons. Il y avait évidemment le prestige qui rejaillissait sur la religion des vainqueurs ; la supériorité militaire, économique, technologique et bientôt scientifique et culturelle des musulmans pouvait susciter un attrait pour leur religion. Cet attrait pouvait en outre être renforcé par des considérations d'ordre économique. En se convertissant à l'islam, les *dhimmis* (« gens protégés ») n'avaient plus à payer la *djizya,* l'impôt personnel imposé aux non-musulmans. Sur le plan social, la conversion à l'islam ouvrait la porte de l'*oumma,* la communauté croyante, avec les possibilités de carrières et de fonctions que cela pouvait supposer.

En contrepartie, il faut noter que les avantages liés à la conversion à l'islam étaient parfois plutôt théoriques. Par exemple, il est arrivé que certains gouvernants ont maintenu l'impôt personnel, si bien que les nouveaux convertis, sans être libérés de cette obligation imposée aux non-musulmans, se voyaient ajouter une nouvelle obligation, celle de la dîme *('oushr),* devoir religieux incombant aux musulmans. Sur le plan social, malgré l'idéal égalitaire proposé par le Coran, les nouveaux convertis devenaient des *mawali,* c'est-à-dire des « clients » rattachés à l'une ou l'autre des tribus arabes qui conservaient jalousement leur suprématie. Il devint bientôt clair que si l'on voulait accéder à un statut de pleine appartenance à l'islam, il fallait non seulement être musulman mais aussi être arabe, ce qui tenait à la naissance et ne pouvait s'acquérir par la conversion. Dans bien des cas, ces facteurs dissuasifs ont dû quelque peu freiner les conversions à l'islam. Ils ont en tout cas suscité des mouvements de révolte qui contribueront au renversement de la dynastie des Omeyyades et à son remplacement par celle des Abbassides en 750.

Les *hadith* (traditions, récits rapportant les faits et dires du prophète Mohammed) ont-ils une valeur historique ? Dans quelle mesure peut-on s'y fier pour établir la biographie de Mohammed ?

Les *hadith* ont sans conteste une valeur historique inestimable, encore faut-il préciser de quelle histoire on parle. S'agit-il de l'histoire de Mohammed et de son temps, de l'histoire des polémiques des premières générations de musulmans avec les chrétiens au sujet du statut de Mohammed, ou encore de l'histoire des dissensions au sein de la communauté musulmane au sujet des pratiques adoptées dans diverses régions de l'empire musulman des premiers siècles ?

En ce qui concerne l'histoire de Mohammed, il y a des traditions qui remontent sûrement ou très probablement au temps de Mohammed et qui ont été par la suite fidèlement transmises. Il y a par exemple des *hadith* qui rapportent les circonstances dans lesquelles a été révélé tel ou tel verset du Coran. Le contenu du verset sert alors de corroboration au récit.

Il y a aussi des récits attribués à des proches de Mohammed et qui, selon toute probabilité, sont antérieurs aux polémiques touchant la personne du Prophète et le caractère révélé du Coran. Par exemple, on trouve dans le recueil de Bokhari le récit suivant attribué à Aïcha, épouse favorite de Mohammed : Zaïd était le fils adoptif de Mohammed, qui lui donna pour épouse Zaïnab. Mais quand Zaïd eut divorcé d'avec Zaïnab, le verset 37 du chapitre 33 du Coran fut révélé, autorisant un croyant à épouser la femme divorcée de son fils adoptif, ce qui permit à Mohammed d'épouser Zaïnab. Cela fit dire à Aïcha, s'adressant à Mohammed : « Ton Maître *[Allah]* est bien empressé de répondre à ton désir ! » Qui pouvait avoir intérêt à inventer pareil récit qui faisait les délices des polémistes chrétiens et qui, encore aujourd'hui, embarrasse certains commentateurs musulmans du Coran ?

Des récits de ce genre, qui mettent en relief aussi bien les faiblesses que les forces de Mohammed, sont particulièrement précieux pour reconstituer le climat primitif de la communauté musulmane autour du Prophète. Il faut par ailleurs se rappeler que les premières biographies de Mohammed datent de plus d'un siècle après sa mort. Elles puisent donc à même un matériel de *hadith* dont une bonne partie a été mise en circulation à des fins tout autres que biographiques.

D'autres récits sont probablement nés de l'admiration qu'entretenaient pour Mohammed les premières générations de musulmans, qui se confrontaient avec les chrétiens au sujet de la grandeur des fondateurs de leurs religions respectives. Alors que le Coran n'attribue aucun miracle à Mohammed, on voit apparaître des traditions racontant des événements merveilleux ou miraculeux précédant ou entourant la naissance de Mohammed. Ce genre de récit peut servir à l'historien pour retracer les questions et les objections auxquelles les apologistes musulmans ont dû faire face au sujet de Mohammed. En ce sens, on est ici dans l'histoire de l'apologétique musulmane, mais pas nécessairement dans une biographie du Prophète de l'islam.

Une part considérable des *hadith* ont vu le jour et ont été colligés en réponse au besoin qu'avait la communauté musulmane d'authentifier ce qu'elle était devenue après plusieurs générations en reliant son vécu à celui du Prophète. Comme dans bien des cas ce vécu n'avait pas de rapport réel avec le vécu historique du Prophète, la « pieuse fabrication » de *hadith* est devenue une façon de légitimer les nouvelles pratiques qui étaient apparues dans le sillage des conquêtes et que l'on jugeait profitables à la communauté sans aller à l'encontre des préceptes du Coran et de ce qu'aurait été la façon de faire du Prophète en pareille circonstance. Pour l'historien, le fait que certains récits mettent dans la bouche du Prophète des maximes de droit romain fournit plus d'information sur la réception du droit romain dans la formation de la loi islamique que sur la compétence réelle du Prophète en matière de droit romain. Cela illustre assez bien le fait que la valeur historique des *hadith* dépend de la période d'histoire que l'on considère.

> **Hadith**
>
> On a dit des jugements de la Cour suprême du Canada : « *They are not final because they are right. They are right because they are final.* » On serait tenté de paraphraser cette affirmation en disant au sujet des *hadith* (les récits des faits et dits du prophète Mohammed) : « On n'y croit pas parce qu'ils sont vrais. Ils sont vrais parce que l'on y croit. »

La tradition du prophète Mohammed a-t-elle joué un rôle plus grand que le Coran dans le développement de l'islam ?

En son sens le plus précis, la tradition islamique comprend la *sounna,* c'est-à-dire la « coutume », la façon de faire du prophète Mohammed, et les *hadith,* c'est-à-dire des récits qui rapportent cette coutume, à savoir des actions et des

Sounna

En haussant la coutume du Prophète au-dessus des coutumes locales comme norme supérieure, les experts musulmans ont eu un réflexe qui fait penser à la fiction juridique présente dans la formation de la *Common Law*, en Angleterre, à partir du IXe siècle. Les juristes anglais supposent alors qu'il existe une « loi commune » *(commune leye)*, qu'ils appellent « la coutume immémoriale du royaume », norme fictive supérieure aux coutumes locales divergentes.

paroles du Prophète. La ***sounna*** est en quelque sorte le contenu de la tradition tandis que le *hadith* en est le contenant, le support, le véhicule. En bref, la tradition du Prophète, c'est l'exemple de Mohammed devenu la norme de l'agir des croyants.

Il ne fait aucun doute que, pour les croyants musulmans, sur les plans dogmatique et intentionnel, le Coran a été et demeure le point de référence suprême en ce qui a trait à la façon de vivre l'islam. Sur le plan historique, toutefois, la réalité n'est pas si simple. En effet, aux lendemains de la mort de Mohammed (en 632), pendant l'expansion rapide du pouvoir musulman hors de l'Arabie, les musulmans ont été les premiers à se rendre compte que le Coran n'apportait pas de réponse claire et directe à toutes les questions qui se posaient maintenant à eux dans un contexte très différent de celui de Médine, berceau de la première collectivité musulmane. En 650, soit moins de vingt ans après la mort du Prophète, les Arabes avaient conquis l'Est méditerranéen (Syrie, Palestine, Égypte, Libye) aux dépens de l'Empire byzantin. Plus à l'est, ils maîtrisaient presque tout l'Empire perse sassanide.

Rapidement convertis à l'islam, une bonne partie des soldats et des administrateurs se retrouvaient dispersés aux quatre coins d'un immense territoire et confrontés à des situations auxquelles ils n'avaient pas été préparés, que ce soit sur les plans administratif, juridique ou religieux. Par exemple, à la garnison de Basra, au sud de l'Irak, on se demandait comment et combien de fois faire la prière quotidienne. Le Coran ne mentionnait explicitement que trois moments de prière, alors qu'à certains endroits on en observait cinq. Ce genre de question et beaucoup d'autres liées à des circonstances locales ont amené les croyants à suivre la façon de faire de Médine pour savoir comment agir. C'était là un réflexe normal, puisque Médine était la communauté établie par le Prophète, celle qui avait été témoin de sa façon de faire. Mais, avec le temps, la *sounna* de Médine, cette coutume de la première communauté, devint impuissante à rallier les variantes locales. Dans un effort pour établir l'unanimité au-delà et au-dessus des coutumes locales divergentes, les experts de la tradition ont alors convenu que le terme « *sounna* » devait être réservé à la coutume établie par le Prophète lui-même dans ses paroles et ses actions.

En hissant la *sounna* du Prophète au-dessus des coutumes locales, les juristes musulmans lui ont conféré une valeur normative qui a eu diverses conséquences. Sur le plan théologique, on se devait de conférer au Prophète l'*'isma,* une sorte d'immunité à l'erreur et au péché, faute de quoi sa communauté risquait d'errer en suivant son exemple. Sur le plan de la théorie de gestion, on semblait postuler que la *sounna* du Prophète couvrait l'ensemble des questions soulevées aux quatre coins de l'empire musulman. Cette théorie ne tenait pas la route devant les pratiques souvent bien établies et qui paraissaient incontournables. Par exemple, comment pouvait-on trouver dans les faits et dires de Mohammed quelque chose ayant trait à la gestion équitable et profitable des réseaux d'irrigation qui avaient fait leurs preuves en Mésopotamie ? Les premières générations de gestionnaires musulmans avaient tout simplement reconduit et incorporé à leur système administratif les pratiques locales auxquelles rien ne s'opposait dans le Coran.

Une fois établie la conviction que tout ce qui se faisait dans la collectivité devait d'une façon ou d'une autre pouvoir être relié au Coran ou à la *sounna* du Prophète, il fallut trouver un moyen pour combler le fossé parfois immense entre la vie plutôt simple et modeste qui avait été celle de

Mohammed et l'univers sophistiqué qui était maintenant celui de sa communauté. Ce furent les *hadith*, les récits des faits et dires du Prophète, qui écopèrent de la tâche de combler ce fossé, tâche qui devait bientôt s'avérer hasardeuse. Au départ, les récits qui touchaient le Prophète répondaient à la curiosité naturelle qui entoure la vie des personnages marquants. La curiosité et la vénération des croyants envers Mohammed les avaient amenés à se transmettre et à collectionner des récits à son sujet.

À partir du moment où la coutume du Prophète fut reconnue comme norme d'évaluation des pratiques de la communauté, l'exercice de piété qu'était la transmission des *hadith* devint en grande partie un exercice de créativité destiné à légitimer des pratiques jugées correctes mais que l'on n'avait pas jusque-là reliées à l'exemple du Prophète. C'est ainsi que furent mis en circulation, moins de trois générations après la mort du Prophète, des récits qui lui attribuaient en parole ou en acte des prises de position de plus en plus précises et catégoriques sur divers points de doctrine, de loi ou de politique. Pour endiguer cette vague de « pieuses forgeries » et sauvegarder l'autorité de la tradition du Prophète, les experts s'employèrent à contrôler minutieusement la chaîne des transmetteurs qui accompagnaient chacun des récits et en garantissaient l'authenticité. Ainsi, Bokhari (mort en 870) a examiné plus de deux cents mille *hadith* mais n'en a conservé que deux mille sept cent soixante-deux comme « sains, solides ». Cela donne une idée de l'ampleur qu'avait prise la pieuse fabrication des récits touchant le Prophète.

La carrière hasardeuse des *hadith* est sans doute un sujet de cauchemars pour l'historien préoccupé de savoir exactement qui a été Mohammed et ce qu'il a fait. Mais pour celui qui cherche à comprendre de quoi est fait l'islam vécu actuellement, l'émergence des *hadith* représente un lieu privilégié de l'interaction entre l'histoire et la croyance religieuse. Le phénomène des *hadith* témoigne éloquemment de l'instinct d'adaptation à divers milieux socioculturels qui a été celui des premiers siècles de l'islam, de la capacité qu'avaient les musulmans de concilier la croyance en un absolu et les contingences d'un vécu historique.

En même temps, cette constatation nous ramène à notre question de départ et nous permet de penser que la tradition du Prophète a joué un rôle au moins aussi important que le Coran dans la mise en œuvre historique de l'islam. De fait, le recueil de *hadith* de Bokhari mentionné plus haut vient immédiatement après le Coran dans la vénération des musulmans et dans les points de référence qu'ils donnent à leur vie. Mais, à partir du même Coran, on aurait pu connaître d'autres formes d'islam. Si l'islam a la physionomie qu'on lui connaît aujourd'hui plutôt qu'une autre, c'est que le Coran a été interprété et mis en œuvre sur la base de l'exemple – vrai ou vraisemblable – du Prophète. Les *hadith* ont ainsi servi de mécanisme d'ajustement entre un Coran réputé immuable et une histoire en plein mouvement, celle des premiers siècles de l'islam.

Les expressions « loi coranique » et « loi islamique » sont-elles équivalentes ?

Malgré certaines dénotations communes, ces expressions ne sont pas équivalentes. En fait, c'est l'expression « loi coranique » qui pose problème au sens où elle peut porter doublement à confusion. Elle peut laisser entendre que le Coran est la loi de l'islam ou encore que la loi islamique est contenue dans le Coran. Or, d'une part, le Coran ne contient que peu de mesures légales, tandis que, d'autre part, la loi islamique contient beaucoup plus que les mesures légales du Coran. Leurs contenus respectifs se compénètrent très partiellement, mais sont loin de se recouvrir.

Le Coran est avant tout un « livre d'avertissement ». Il contient des récits de l'intervention d'Allah en faveur des prophètes et des croyants ; en ce sens, c'est une sorte d'« histoire du salut ». Il contient des admonitions, des interpellations pour rappeler aux humains le sens de la vie et le jour du Jugement. À travers les récits et les interpellations, il contient des paroles de consolation ancrées dans la bonté et la générosité d'Allah, ainsi que des louanges à sa toute-puissance. Il contient aussi, surtout dans les versets révélés à Médine, des réponses aux problèmes concrets qui se posaient dans la première communauté des croyants. C'est précisément dans ces passages que l'on trouve des mesures proprement légales. Ces passages sont relativement peu nombreux, peut-être une quarantaine de versets.

Si la loi islamique a été peu à peu mise en place, c'est précisément pour combler les zones de vécu qui n'étaient pas couvertes par le Coran. Très tôt, les premières générations de musulmans ont été exposées à des situations que n'avaient prévues ni le Coran ni l'action du Prophète dans le contexte de l'Arabie. Déjà, au temps du Prophète, les éléments de droit coutumier arabe hérités des ancêtres continuaient d'être appliqués côte à côte avec les prescriptions du Coran dans la mesure où ils n'étaient pas contraires au Coran. À cela s'ajoutèrent bientôt des éléments de droit coutumier local existant dans les diverses régions qui furent rapidement conquises. C'est ainsi, notamment, qu'une quantité assez importante d'éléments de droit romain firent leur entrée dans la pratique légale et administrative de la communauté musulmane.

Après environ deux siècles de cette pratique, les juristes musulmans ont entrepris de la passer au crible, en tentant de la mettre en relation avec le Coran et l'exemple du Prophète. Le résultat de cette activité colossale a été, d'une part, une théorie des sources de la loi islamique et, d'autre part, le contenu lui-même de la loi islamique, à savoir un corpus considérable de doctrine casuistique – on dirait en anglais *case law* – où étaient envisagées les diverses situations qui pouvaient se présenter dans la vie du croyant. Cette loi, c'était la *charia*, la façon idéale de se soumettre à Allah (islam), le chemin du retour vers Allah. En suivant les prescriptions de cette loi, le croyant était assuré de se conformer à la volonté d'Allah et de mériter la récompense du paradis.

L'historien, lui, ne peut s'empêcher de constater qu'entre les quelques prescriptions légales du Coran et le contenu monumental de la loi islamique, un fossé considérable a été comblé par les juristes musulmans ; pour ce faire, ils ont progressivement intégré et islamisé les éléments de pratique qu'ils rencontraient sur leur route et qui leur paraissaient profitables à la communauté sans aller à l'encontre des prescriptions et des grands principes d'éthique énoncés par le Coran. Comme on le voit, l'expression « loi coranique » est loin d'être équivalente à « loi islamique » et, pour tout dire, elle gagnerait à être bannie de l'usage à cause de la confusion qu'elle suscite. Elle fait penser à la fois au « Coran » et à la « loi islamique », mais ne correspond ni à l'un ni à l'autre.

Quelles sont les principales différences entre la loi islamique (charia) et la conception courante de la loi en contexte occidental ? Quel est l'impact actuel de ces différences ?

La loi islamique se distingue de notre conception courante de la loi par son caractère englobant et aussi – peut-être surtout – par son caractère divin ou à tout le moins quasi divin. Tout d'abord, il faut préciser que l'expression « loi islamique » traduit habituellement le terme arabe *charia*, qui signifie littéralement « voie », « chemin ». Vue sous cet angle, la *charia* se veut un chemin bien balisé qui conduit le croyant musulman en toute sécurité à travers les méandres de la vie ici-bas jusqu'au jour du Jugement pour y recevoir la récompense du paradis. La **voie de la *charia*** a été tracée surtout par les juristes plutôt que par les théologiens et s'est ainsi retrouvée dans la loi islamique, que l'on peut considérer comme le monument par excellence de la pensée religieuse de l'islam.

Voie de la *charia*

L'expression la plus poussée de la pensée musulmane se trouve dans la loi et non dans la « théologie ». Ce fait reflète l'esprit de l'islam, tourné vers la pratique et plus préoccupé de foi en action que de spéculations métaphysiques. Le cœur de l'engagement propre à l'islam réside dans le souci concret de vivre selon un modèle établi par Dieu et révélé par l'intermédiaire du Prophète.

LE CARACTÈRE ENGLOBANT DE LA LOI ISLAMIQUE

Au premier coup d'œil sur le contenu de la loi islamique, on se rend compte qu'elle englobe non seulement ce qui pour nous relève du domaine légal, mais aussi, et de façon massive, des domaines qui relèvent de la théologie et de l'éthique. Cela n'a pas de quoi étonner puisque la loi islamique se donne pour mission de baliser toute la vie du croyant à tous les moments et dans toutes les circonstances de sa vie terrestre, de répondre à toutes les questions qu'il peut se poser sur la façon de se conformer à la volonté d'Allah. Ainsi, la loi islamique comprend trois grandes parties. Tout d'abord, il y a les *'aqa'id,* les croyances, les dogmes, ce que le musulman doit croire. Il s'agit d'une consignation et d'une explicitation des objets de foi désignés par le Coran, comme Dieu, les anges, les prophètes, les livres. Viennent ensuite, et assez logiquement dans ce contexte, les *'ibadat,* les devoirs envers Dieu, qui se concrétisent dans les rites, les observances et le respect des interdits. Enfin, il y a les *mou'amalat,* qui déterminent les relations avec autrui et qui recoupent ce que l'on entend généralement par loi en contexte moderne.

Le fait que la loi islamique entende régir au nom de la religion toute la vie des croyants et par conséquent toute la vie en société pose déjà problème dans le cadre d'une société sécularisée comme la nôtre. Mais on pourrait concevoir qu'une loi religieuse puisse évoluer, s'adapter aux conditions modernes et restreindre son domaine d'application en fonction du milieu ambiant.

LE CARACTÈRE DIVIN DE LA LOI ISLAMIQUE

Dans le cas de la loi islamique, toutefois, ce qui est encore plus problématique que son caractère englobant, c'est son caractère divin et, à ce titre, immuable ; c'est le fait que la doctrine musulmane en soit venue à conférer ce caractère à la loi islamique telle qu'elle a été consignée il y a plusieurs siècles. Pour les Occidentaux, la loi est le produit de la volonté humaine d'une société et elle peut changer à mesure que cette dernière évolue. Il n'en va pas ainsi pour la loi islamique, du moins si l'on se réfère à la conception doctrinale de la loi élaborée par les juristes musulmans, comme nous allons maintenant le voir.

LA CONCEPTION DOCTRINALE DE LA LOI ISLAMIQUE

Pour mettre un cran d'arrêt à la diversité des pratiques adoptées au cours des deux premiers siècles de l'islam, les juristes musulmans ont fini par s'entendre sur une théorie qui fixait à quatre les sources du droit islamique. La première de ces sources est évidemment le Coran, dans ses prescriptions légales et dans ses grands principes d'éthique. La deuxième source, considérée comme l'interprétation la plus autorisée du Coran, c'est l'exemple du Prophète tel qu'il est consigné dans les récits reconnus *(hadith)* de ses faits et dits. À titre instrumental, d'autres sources viennent s'appliquer aux premières pour en étendre l'emprise. Il s'agit d'abord du raisonnement par analogie *(qiyas)*, qui applique à une situation nouvelle le contenu du Coran ou de l'exemple du Prophète au sujet d'une situation semblable. Il y a ensuite le consensus *(idjma')* des docteurs, qui vient contrôler les variantes possibles dans les résultats du raisonnement par analogie.

En validant l'activité des juristes des premiers siècles, cette théorie des sources de la loi assurait une stabilité au système légal. En même temps, elle lui conférait une empreinte quasi divine ; la loi islamique, idéalement ancrée dans le Coran, devenait en quelque sorte le modèle divin de l'agir humain. Cette caution divine cristallisée dans la théorie des sources rendait la loi islamique immuable. Allah n'est pas comme les humains, il ne change pas d'idée et sa volonté est immuable. Dans la mesure où la volonté d'Allah s'exprime dans la loi islamique, cette dernière n'est désormais plus sujette à changement. Elle ne comporte donc aucun mécanisme ou organisme de mise à jour. On comprend facilement que, dans un monde en évolution, cette conception doctrinale de la loi islamique ait largement contribué à sa désuétude et à sa mise en veilleuse dans la plupart des pays musulmans. En tentant actuellement de rétablir la loi islamique et de l'appliquer de façon rigide, les islamistes peuvent sans doute invoquer la conception doctrinale de là *charia,* mais, du coup, ils s'inscrivent en faux contre le rôle qu'elle a joué selon ce que nous en dit la conception ou perception historique.

LA CONCEPTION HISTORIQUE DE LA LOI ISLAMIQUE

Pour les historiens comme pour bon nombre de musulmans modernes, la loi islamique s'est formée selon un processus d'assimilation sélective mis en œuvre par les juristes musulmans des premiers siècles de l'islam. Ces derniers étaient certes guidés par le Coran et l'exemple du Prophète ; toutefois, en dehors des cas clairs – relativement peu nombreux – couverts par ces deux sources, ils se donnaient pleine liberté de puiser à d'autres sources pour trouver réponse aux nouvelles questions qui se posaient dans un contexte qui n'était plus du tout celui de l'Arabie. C'est ainsi qu'ils ont graduellement intégré au corps de l'islam des pratiques qui leur semblaient assurer le fonctionnement juste et efficace de la société musulmane alors en pleine évolution. En ce sens, la loi islamique a été un instrument d'adaptation, un lieu de rencontre entre la croyance en un Dieu éternel et immuable et les contingences d'un vécu historique mouvant.

Cette compréhension historique de la loi islamique a motivé et continue de motiver bien des musulmans modernes. Pour eux, il ne s'agit pas de remettre en application aujourd'hui le produit fini que représente le contenu de la loi islamique médiévale et qui avait été délaissé à la période moderne ; il s'agit plutôt de ranimer l'esprit de créativité qui avait permis aux juristes des premiers siècles de produire ce contenu en islamisant les pratiques qu'ils empruntaient de façon sélective aux cultures et aux sociétés ambiantes. Il faut donc faire aujourd'hui ce que ces gens ont fait – et bien fait – en leur temps, c'est-à-dire suivre le fil de l'histoire.

Qu'est-ce qu'une *fatwa* et qui est habilité à en émettre une ?

Une *fatwa*, c'est une opinion légale formelle donnée par un juriste appelé *moufti*, habituellement en réponse à une question soumise soit par un juge soit par un particulier. Ce n'est donc ni un verdict, ni une sentence, ni un jugement prononcé par un juge, pas plus qu'une ordonnance ou un décret émis par un gouvernant. En se fondant sur cette opinion, un juge peut rendre une décision dans une cause ou un particulier peut orienter sa façon d'agir. Comme la consultation porte sur tout le registre couvert par la loi islamique, à savoir l'ensemble de la vie des croyants, la *fatwa* peut concerner les affaires temporelles aussi bien que les questions proprement religieuses.

Seul un juriste musulman expert est habilité à exercer la profession de *moufti*, à émettre des opinions légales en matière de loi islamique. Le rôle des *mouftis* a été considérable dans la formation de la loi islamique *(charia)*. L'expansion spectaculaire du pouvoir musulman et l'accroissement rapide du nombre des croyants ont tôt fait de susciter un besoin chronique de consulter pour savoir quelle ligne de conduite individuelle ou collective adopter dans des situations que ne prévoyaient ni le Coran ni l'exemple du prophète Mohammed. Alors que dans un système juridique comme la *Common Law,* on consulte la jurisprudence, les recueils de jugements rendus par les juges dans une cause semblable, en droit musulman, on se tourne plutôt vers les recueils de « réponses » formulées sous forme d'opinions par les grands *mouftis*. C'est dire que les juges *(qadi)* de la loi islamique étaient largement tributaires des *mouftis*, qui, à certaines époques, leur étaient officiellement assignés comme conseillers.

À la période moderne, avec le déclin de la loi islamique, la pratique de la **fatwa** et la profession de *moufti* ont perdu beaucoup de terrain dans la sphère publique passablement sécularisée. Cela n'empêche pas des individus ou des groupes pieux de demander l'avis d'un juriste *moufti* pour savoir quel usage légitime ils peuvent faire de telle ou telle nouveauté technologique dans l'accomplissement de leurs devoirs religieux.

Fatwa

On peut regretter le fait que dans l'actualité des dix ou vingt dernières années, lorsque les médias parlent de *fatwa*, c'est le plus souvent en relation avec une forme ou l'autre de violence associée à des affrontements locaux ou internationaux. La *fatwa* se trouve alors détournée de sa fonction proprement religieuse ; elle devient un instrument au service d'entreprises politiques qui savent manipuler le sentiment religieux des masses.

Cependant, avec le retour de l'islam sur la scène publique et politique, en particulier dans les États dits « islamiques », le souci de rendre la société conforme aux préceptes de l'islam a redonné une importance marquée aux *fatwa* et à ceux qui les émettent, les *mouftis*. L'utilisation formelle de *fatwa* par des dirigeants politiques ou des *leaders* de mouvements islamistes sème parfois la confusion. On peut croire – et peut-être croient-ils eux-mêmes – qu'ils sont habilités à émettre une *fatwa* alors qu'ils ne le sont pas. Dans bien des cas, ces dirigeants tentent simplement de donner une légitimation religieuse à une décision d'ordre politique ou stratégique qu'ils avaient prise avant même d'avoir consulté un juriste de la loi islamique.

Ce qui risque d'ajouter à la confusion, c'est le fait qu'il n'y ait pas d'autorité religieuse suprême reconnue en islam, y compris en matière de *fatwa*. Selon que la même question est posée à tel *moufti* plutôt qu'à tel autre, on peut obtenir des réponses contradictoires, comme ce fut le cas au moment de l'invasion de l'Irak par les forces américano-britanniques en 2003 ; certaines *fatwa* considéraient que l'on était en situation de *djihad,* de guerre défensive où les croyants avaient le devoir de prendre les armes pour repousser l'envahisseur, tandis que d'autres estimaient que ce n'était pas le cas.

Dans de telles situations de conflit d'opinions légales, il n'y a pas d'instance religieuse suprême couvrant l'ensemble des pays musulmans et habilitée à trancher la question. Il peut y avoir dans certains pays musulmans un « grand *moufti* » au sommet d'une hiérarchie locale reconnue ou instaurée par le pouvoir étatique. Cependant, une *fatwa* émise par ce juriste, même si elle est sollicitée par l'autorité civile, n'engage pas nécessairement cette dernière au sens où elle n'a pas de valeur décisionnelle ou exécutoire. À plus forte raison n'a-t-elle qu'une autorité morale dans d'autres pays musulmans. On s'entend généralement pour dire que le grand *moufti* de l'Université Al-Azhar, au Caire, jouit d'une telle autorité, mais pas au point de faire taire *ex officio* les opinions discordantes que peuvent émettre d'autres *mouftis*. Dans ce contexte, quelqu'un peut très bien solliciter des opinions juridiques tant qu'il n'obtient pas celle qui fait son affaire et qu'il peut alors faire valoir en sa faveur. On peut toutefois se demander si cette façon de faire n'a pas des adeptes un peu partout, y compris chez nous, dans des contextes qui n'ont rien à voir avec l'islam...

La loi islamique *(charia)* est-elle compatible avec les chartes modernes des droits et libertés de la personne ?

DES ZONES NEUTRES
Cela dépend de la partie de la loi islamique que l'on considère. En ce qui a trait aux croyances et aux dogmes *('aqa'id),* c'est un domaine peu susceptible d'entrer en conflit avec les chartes, tout comme le domaine des devoirs envers Dieu *('ibadat).* Dans le domaine des relations avec les autres *(mou'amalat),* qui correspond à ce que nous considérons comme le domaine du droit proprement dit, il faut distinguer. Il y a des secteurs qui ne présentent pratiquement pas d'incompatibilité avec les chartes, comme les secteurs des obligations, de la propriété, des contrats ; on y trouve souvent des dispositions semblables à celles des codes civils occidentaux ; cela pointe dans la direction d'un ancêtre commun, le droit romain.

DES ZONES D'INCOMPATIBILITÉ
Les zones d'incompatibilité entre la loi islamique et les chartes modernes des droits et libertés de la personne se

situent principalement dans le domaine du statut personnel et dans le droit pénal. Pour ce qui est du statut personnel, la loi islamique contient des dispositions qui, si elles sont appliquées à la lettre, vont à l'encontre du droit à l'égalité. Cela est vrai du statut de la femme et du statut personnel des non-musulmans, qui retiendra pour l'instant notre attention.

• Le statut des non-musulmans. — Selon la théorie de la loi islamique, les non-musulmans doivent se soumettre et payer une taxe personnelle (*djizya*, capitation) pour pouvoir jouir du statut de *dhimmi* (« protégé »), qui leur assure la sauvegarde de leur vie, de leur propriété et de leur religion. De plus, ils doivent porter des vêtements distinctifs et marquer leurs maisons d'un signe distinctif ; ces maisons, elles ne doivent pas être plus hautes que celles des musulmans. Ils ne doivent pas porter d'armes ni aller à cheval et doivent céder le chemin aux musulmans. Ils ne doivent pas scandaliser les musulmans en accomplissant trop ouvertement leur culte ou leurs coutumes, comme celle de boire du vin. Ils ne doivent pas construire de nouvelles églises, de nouvelles synagogues ou de nouveaux couvents. Selon les standards actuels, ces mesures constituent une forme de discrimination fondée sur l'appartenance religieuse, ce qui va à l'encontre des **droits de la personne**, nommément à l'encontre de l'égalité garantie par les chartes.

Par contre, si l'on regarde la pratique historique de la loi islamique, on se rend compte que cette pratique n'était pas souvent conforme à la théorie. Ce clivage est attesté par des indications matérielles, comme la présence d'églises, de synagogues, de temples et de couvents construits après l'établissement du pouvoir musulman. Il y a aussi des indications documentaires, comme des lettres de réformateurs musulmans qui, au nom de la loi islamique, protestaient

Droits de la personne

« Lorsque nous aurons une interprétation correcte de l'islam, nous verrons qu'il n'y a pas d'incompatibilité entre les droits de la personne et l'islam. La déclaration des droits de l'homme est universelle pour toute la race humaine et il ne devrait pas exister de droits islamiques de la personne. Ce serait ouvrir la porte à ce que chaque nation, chaque religion ait sa propre version. Nous pouvons être musulmans et respecter les droits fondamentaux tels que définis par la déclaration. Nous pouvons être musulmans et avoir de meilleures conditions de vie. Si c'était le cas, nous aurions atteint la bonne interprétation de l'islam, qui n'est pas une religion de terreur ou d'assassinat, comme certains le prétendent. »

Chirin Ebadi, juriste musulmane iranienne, prix Nobel de la paix 2003, citée dans *La Presse*, 25 octobre 2003.

régulièrement auprès de leurs gouvernants contre le statut et les privilèges accordés aux non-musulmans.

• Le droit pénal. — Une partie de la loi islamique défraie régulièrement les manchettes, le droit pénal. Trancher la main du voleur, lapider la femme adultère, par exemple, sont des châtiments qui portent atteinte à l'intégrité physique des personnes garantie par les chartes. Si l'on ajoute à cela le fait que ces peines sont souvent imposées sans que les accusés aient eu droit à un juste procès et aient pu exercer un droit d'appel, on comprend l'image plutôt horrifiante que les médias associent à la loi islamique.

Pour remettre les choses en perspective, il faut se rappeler un certain nombre de faits. Tout d'abord, les juristes musulmans des premiers siècles trouvaient sans doute eux aussi ces peines particulièrement inhumaines, puisqu'ils en ont restreint l'application de façon radicale en exigeant des standards de preuve presque impossibles à satisfaire, en invoquant des théories, comme celle de « l'acte semblable », qui poussaient à l'extrême la présomption d'innocence. Ensuite, à la période moderne, la plupart des pays musulmans ont procédé à une modernisation de leur système légal et judiciaire et ont adhéré à la *Déclaration universelle des droits de l'homme* (ONU, 1948). Toutes ces mesures ont eu pour effet de réduire considérablement l'emprise pratique de la loi islamique sur la vie publique dans les sociétés musulmanes.

Plus récemment, la prise du pouvoir par des islamistes et l'instauration d'États islamiques dans certains pays musulmans ont ramené au premier plan le spectre d'un système légal qui était en train de disparaître de la scène publique. Dans certains pays comme le Soudan, le fait d'imposer la loi islamique à tous les citoyens, qu'ils soient musulmans, chrétiens ou animistes, va à l'encontre non seulement des droits de la personne, mais aussi de la loi islamique elle-même puisque, par nature, elle ne s'appliquait traditionnellement qu'aux musulmans. Quels qu'en soient les motifs réels, ce genre de dérapage renie toute une expertise développée au cours des siècles par les juristes musulmans, une tradition de sagesse et de modération dans l'application de la loi islamique. Cela a de quoi inquiéter bien des gens, à commencer par la plupart des musulmans.

L'Islam se divise en deux grands groupes : les sunnites et les chiites. On a souvent dit que le chiisme est au sunnisme ce que le protestantisme est au catholicisme. Cette distinction se justifie-t-elle, compte tenu de ce qui sépare les chiites des sunnites ?

Cette comparaison est tentante, mais boiteuse. En effet, le protestantisme est apparu une quinzaine de siècles après les débuts du christianisme, à un moment où les grandes doctrines et les grandes institutions de l'Église étaient en place depuis assez longtemps pour avoir besoin d'être réformées en raison d'une certaine décadence interne et en raison d'un puissant souffle d'idées nouvelles issues de la Renaissance. Contrairement au protestantisme, le chiisme n'est pas une branche tardive se détachant d'une tradition majoritaire établie depuis des siècles. C'est un schisme qui est apparu très tôt en islam, moins de trente ans après la mort du prophète Mohammed (en 632), avant même que l'islam ait pu se doter des doctrines et des institutions qui le caractérisent.

UN SCHISME POLITIQUE

Ce qui est à la source du chiisme, ce n'est donc pas un besoin de réforme religieuse, mais plutôt une querelle portant sur la succession du Prophète à la tête de la communauté musulmane et de ce qui était rapidement en train de devenir l'empire musulman. De mouvement politique qu'il était à sa naissance, le chiisme allait progressivement se transformer en une façon particulière de comprendre et de vivre l'islam.

Dans l'islam, comme dans les autres traditions religieuses, on trouve deux grandes tendances : la tendance exotérique et la tendance ésotérique. Comme son nom le suggère, la tendance exotérique privilégie ce qui est extérieur, apparent, clair et simple, accessible à tous. La loi islamique *(charia)* incarne bien cette tendance en indiquant aux croyants ce qu'il faut faire ou ne pas faire dans les diverses situations de la vie pour accomplir la volonté d'Allah. La tendance ésotérique, au contraire, s'attache à découvrir ce qui est intérieur, caché, réservé aux initiés. Le versant ésotérique s'est manifesté surtout dans le chiisme et dans le soufisme (mystique musulmane).

Imam

En son sens originel, le terme « imam » veut dire « celui qui se tient en avant » ; de là le sens de « celui qui dirige la prière », sens que l'on trouve à la fois chez les sunnites et chez les chiites. Pour ces derniers, toutefois, ce sens premier est obnubilé par un sens spirituel et mystique ; c'est ainsi qu'ils désignent Ali et un certain nombre de ses descendants comme étant détenteurs d'un ascendant qui les rend mystérieusement présents pour guider leurs fidèles.

DES CROYANCES DISTINCTES

On peut dire, sommairement, que le chiisme se démarque du sunnisme par trois croyances distinctes : la croyance en l'**imam**, la croyance au *mahdi* et la croyance en la valeur rédemptrice de la souffrance.

• La croyance en l'imam. — Dans l'optique du chiisme, c'est Ali qui aurait dû, à la mort du Prophète, être reconnu et désigné comme premier calife (« successeur » du Prophète). Les premiers chiites, les partisans d'Ali (l'expression « *chi'at 'Ali* » signifie littéralement « le parti d'Ali ») préconisaient le principe d'une succession dynastique de la lignée de Mohammed. Ce dernier n'ayant pas de fils survivant, Ali, à titre de cousin de Mohammed et d'époux de Fatima, fille de Mohammed, représentait avec ses descendants, petits-fils de Mohammed, la lignée la plus proche du Prophète.

Toutefois, la majorité des musulmans influents préféra désigner les successeurs du Prophète par consensus plutôt que par hérédité, si bien qu'Ali dut attendre son tour avant de succéder au troisième calife, Othman, mort assassiné en 656. Mais l'élection d'Ali fut contestée par les partisans de Mo'awiya, cousin d'Othman. Ali, que les chiites considèrent comme leur premier imam, fut déposé en 657 et finit par être assassiné en Irak en 661. Les partisans d'Ali jetèrent alors leur dévolu sur Hasan, fils aîné d'Ali, qui se défila, puis sur son cadet Hosayn. Ce dernier fut tué à **Kerbela** en 680. Ali et Hosayn furent considérés comme « martyrs ». Dès lors, les chiites feront figure de perdants et se donneront progressivement la théologie correspondant à leur condition sociopolitique de laissés-pour-compte et d'opprimés.

Au terme d'une assez longue évolution doctrinale du chiisme, l'imam devient le détenteur du sens caché du Livre, le Coran. Selon cette croyance, à chaque prophète qui a été envoyé par Allah avec un Livre destiné à l'ensemble des croyants a été assigné un imam à qui a été confié le sens intérieur et caché de ce Livre, sens destiné à ceux qui reconnaissent l'imam. C'est ainsi qu'Ali est devenu le premier imam de l'islam chiite, le « Mainteneur du Livre », le dépositaire du sens caché du Coran. Ses descendants, héritiers de la fonction d'imam, se transmettent ce charisme jusqu'au moment où l'incompréhension et la méchanceté du monde forcent le dernier imam à se cacher, à disparaître du monde visible. Malgré cette « occultation » *(ghayba)*, il continue d'être vivant dans un monde invisible et de parler au cœur des croyants.

• La croyance au *mahdi*. — La croyance au *mahdi*, personnage messianique qui reviendra à la fin des temps pour préparer le jour du Jugement, est commune à tous les musulmans. Pour les chiites, elle prend une dimension

Kerbela

Kerbela et Nadjaf, villes d'Irak, sont des lieux de pèlerinage où les chiites vont vénérer les tombeaux des deux imams « martyrs », Ali et son fils Hosayn.

Mahdi

« Dans l'islam, envoyé de Dieu, qui doit venir à la fin des temps pour rétablir la foi corrompue et la justice sur la Terre. »

Le Petit Larousse

particulière puisque, pour eux, le *mahdi* est l'imam caché, le dernier des imams reconnus. Au moment où le monde aura atteint les limites de l'iniquité et de la noirceur, l'imam sortira de son « occultation », se fera le grand redresseur de torts en instaurant le règne de la justice, en redonnant la lumière de l'espoir aux faibles et aux opprimés. D'ici là, l'imam caché a pour porte-voix les ayatollahs, docteurs de l'islam chiite.

• La croyance en la valeur rédemptrice de la souffrance. — En attendant l'avènement du *mahdi*, l'imam caché, les fidèles chiites peuvent donner une valeur rédemptrice à leur souffrance en l'associant à celle de l'imam, d'abord et surtout à celle d'Ali et de son fils Hosayn. C'est par cette souffrance que le monde corrompu est racheté et maintenu en vie. Pendant le *Moharram*, le premier mois du calendrier musulman, les fidèles commémorent le martyre d'Ali et d'Hosayn et s'y associent par le rituel de la flagellation et aussi par le *ta'zya*, une sorte de « jeu de la Passion » semblable à celui du Moyen Âge chrétien et qui met d'ailleurs en scène certains personnages de la Bible. Par le truchement de personnages défilant sur des chars allégoriques et accompagnés de chœurs qui se répondent, c'est l'affrontement entre les forces du bien et les forces du mal qui est actualisé. Par leurs pleurs et leurs cris d'encouragement, les fidèles revivent le drame de Kerbela, le martyre d'Hosayn; ils prennent part au « combat entre le vert (le bien) et le rouge (le mal) ». Ce rituel ainsi que les autres éléments distinctifs du chiisme, à savoir la croyance à l'imam et à son retour comme *mahdi*, seront mis en œuvre au moment de la révolution iranienne de 1979 et contribueront à renverser le régime du shah.

Il faut toutefois rappeler, en conclusion, que les chiites sont d'abord et avant tout des musulmans. À ce titre, ils ont le même Coran, la même vénération pour le Prophète, les mêmes pratiques de base que les sunnites. En un mot, ils croient et font la même chose que les sunnites, mais ils y ajoutent les croyances et les pratiques que nous venons de décrire. Cet ajout peut évidemment créer des frictions entre sunnites et chiites, mais cela n'empêche pas l'inter-action et les influences mutuelles, aujourd'hui aussi bien que dans le passé.

La révolution iranienne de 1979 était-elle plus chiite qu'is-lamique ? Pourquoi a-t-on attribué à l'ayatollah Khomeyni le titre d'imam ?

La révolution iranienne, appelée « révolution islamique », peut à juste titre être considérée comme le fer de lance et le prototype des prises de pouvoir qui s'effectueront au nom de l'islam dans d'autres pays musulmans. Il faut re-connaître que cette révolution était « islamique », à tout le moins parce que les Iraniens sont musulmans à part entière. Mais on peut tout aussi bien soutenir la thèse que la révo-lution iranienne était typiquement chiite au sens où les croyances et les pratiques distinctives du chiisme ont été savamment mises en œuvre pour mobiliser les masses et renverser le régime du shah, le monarque qui régnait alors sur l'Iran.

L'IMAM CACHÉ

On pense tout d'abord à la croyance à l'imam caché. La figure de proue de la révolution iranienne était l'ayatollah Khomeyni. Au départ, ce dernier n'était que l'un des six ayatollahs occupant le sommet de la hiérarchie religieuse en Iran. À cause de son opposition constante au régime du shah et des représailles dont il était victime, il a dû s'exiler

**Reza Pahlevi
(1920-1980)**

En 1941, Reza Pahlevi
devenait shah d'Iran et
s'appliqua à moderniser
cet État jusqu'au moment
où, en 1979, il dut quitter
son pays et son trône
en s'inclinant devant
la révolution islamique
qui porta au pouvoir
Khomeyni et
le clergé chiite.

Photo : D.R.

en Irak puis à Paris. De là, avec l'aide de ses conseillers, il enregistrait des cassettes audio qui étaient ensuite acheminées dans les villages d'Iran. Ainsi, les villageois étaient en contact mystérieux avec un chef religieux sans le voir ; il était caché, mais sa voix parlait à leur cœur en dénonçant les forces du mal à l'œuvre dans le régime du shah et en les incitant à renverser ce monarque indigne. Cela faisait facilement penser à l'imam caché, qui avait dû se réfugier dans un monde invisible pour fuir les forces du mal, mais qui continuait d'être présent.

LA GLORIFICATION DU MARTYRE

Pour le shah d'Iran comme pour le monde occidental, il était tout à fait impensable que les appels à la révolte lancés de loin par un vieux visionnaire aigri puissent mobiliser le sentiment religieux populaire et renverser le régime le plus puissant du Moyen-Orient. C'est pourtant ce qui arriva, à la surprise générale, mais pas à celle des habiles stratèges qui avaient orchestré la révolution dans le cadre du rituel chiite de la Passion *(ta'zya)*. Lors des premières manifestations contre le shah, la répression sanglante a fait des victimes, qui ont été immédiatement considérées comme des « martyrs ». Dix jours après leur enterrement, toujours selon le rituel du deuil, rassemblement commémoratif au cimetière, nouvelle répression, nouvelles victimes, nouveau deuil... Les manifestants portaient un vêtement blanc, qui signifiait traditionnellement leur désir de donner leur vie comme martyrs pour la cause du bien. Face aux blindés du shah, la foule scandait : *« Shah-Yazid, Khomeyni-Hosayn »*, indiquant clairement qu'elle revivait le drame de Kerbela. Yazid, le calife qui avait fait tuer l'imam Hosayn, était maintenant personnifié par le shah, tandis que l'imam Hosayn, c'était maintenant Khomeyni. En prenant parti pour Khomeyni contre le shah au prix même de leur vie, les fidèles traduisaient le rituel de la Passion en action politique ; ils regrettaient de n'avoir pas pu être là autrefois à Kerbela pour défendre l'imam Hosayn, mais ils pouvaient en quelque sorte se reprendre maintenant en affrontant le shah et en devenant eux aussi martyrs.

Ruhollah Musawi,
dit Ruhollah Khomeyni
(1902-1989)

À son retour en Iran, après la révolution islamique de 1979 dont il avait été la figure de proue, l'ayatollah Khomeyni a reçu le titre d'imam en même temps qu'il se voyait confier le pouvoir suprême de « guide de la révolution ».

Photo : D.R.

L'ARRIVÉE DU *MAHDI*

Le shah dut finalement se rendre à l'évidence : face à une telle détermination des masses croissantes de manifestants, il ne pourrait maintenir son pouvoir qu'au prix d'un gigantesque bain de sang. Ce fut alors au tour du shah de partir en exil et à celui de Khomeyni de rentrer en Iran. Accueilli en triomphateur, l'ayatollah Khomeyni se vit attribuer le titre d'imam, comme si tout à coup l'imam caché des chiites était revenu comme *mahdi* pour rétablir la justice et instaurer le règne de Dieu. Théologiquement parlant, cela frôlait l'hérésie, au point où les docteurs chiites déclarèrent qu'il fallait entendre « imam » non au sens chiite mais plutôt au sens sunnite de « guide », de « gouvernant ». Toutefois, pour la masse des fidèles, Khomeyni était bel et bien l'imam tant attendu, même s'il ne s'était pas proclamé *mahdi*.

Le symbolisme rituel chiite a continué d'être mis en œuvre pour consolider la révolution. Par exemple, au moment du référendum sur la nouvelle constitution établissant un État islamique, on vit des affiches montrant la main d'un martyr sortant du sol du cimetière et brandissant un bulletin de vote vert, couleur qui, dans le jeu de la passion, symbolise les forces du bien opposées aux forces du mal symbolisées par le rouge. Le jour du vote, les participants avaient le choix entre un bulletin vert et un bulletin rouge à déposer dans l'urne. Dès lors, les résultats étaient prévisibles ; qui aurait osé prendre ouvertement – et si visiblement – parti pour les forces du mal et renier l'imam ?

Qu'est-ce que le soufisme ? La mystique est-elle vraiment un point de convergence entre l'islam et le christianisme ?

Malgré les affrontements qui ont souvent marqué l'histoire de leurs relations, l'islam et le christianisme ont beaucoup de choses en commun, comme par exemple des enracinements bibliques. Mais c'est sur le plan de la mystique qu'ils présentent le plus de points de convergence et se retrouvent au-delà des affrontements qui les ont souvent opposés. Nous allons illustrer cette affirmation par une petite histoire et un peu d'histoire.

Il était une fois, dans la très catholique Espagne du XVIe siècle, une petite fille nommée Thérèse et un petit garçon nommé Jean. Tous deux rêvaient d'aller combattre, pour la plus grande gloire de Dieu, ceux que l'on appelait alors les Sarrasins ou les Maures, c'est-à-dire les musulmans qui se trouvaient encore en Espagne. Devenus adultes, Thérèse d'Avila et Jean de la Croix livreront bataille à leurs propres désirs, à leur moi, mais pas aux musulmans. Ils se dépouilleront d'eux-mêmes pour faire place à Dieu. Ils emprunteront ainsi le même chemin que fréquentaient depuis plusieurs siècles les grands mystiques musulmans.

On désigne habituellement la mystique musulmane par le terme « soufisme », compte tenu du fait que le mystique lui-même était nommé « soufi », probablement en raison de la robe de laine rude *(souf)* que portaient les premiers ascètes qui s'adonnaient à la recherche de Dieu en terre d'Islam. Deux autres termes étaient aussi utilisés pour désigner le mystique musulman : **fakir** et **derviche**.

Fakir et derviche

Le terme « fakir » évoque communément l'image d'un Oriental enturbanné, assis sur un lit de clous ou sur un tapis volant, charmeur de serpents, cracheur de feu et avaleur de sabres, mais ce n'est pas ce que ce mot signifiait à l'origine. En persan, fakir (« pauvre »), synonyme de soufi (mystique musulman), se dit *darwish*, (« derviche »), ce qui évoque pour nous les derviches tourneurs et leurs apparitions périodiques sur nos scènes.

Le sens actuel qu'a pris le terme « fakir » est le produit d'une longue évolution, mais, à l'origine, ce terme, qui signifie littéralement « pauvre », était pratiquement synonyme de soufi. Cela veut dire que le terme « fakir », qui désigne l'une des caractéristiques du soufi, à savoir le fait qu'il soit pauvre (fakir), en est venu à désigner l'ensemble de l'expérience mystique du soufi.

Le fakir, c'est-à-dire le soufi, le mystique, c'est, globalement, celui qui est pauvre de lui-même et riche de Dieu, vide de lui-même et plein de Dieu. Cela suppose qu'il s'est décentré de tout ce qui est créature pour se centrer sur le Créateur, qu'il s'est dépouillé, vidé de lui-même au point où il a été envahi par le divin. Cette quête du divin a débuté très tôt en islam. En effet, pendant que les armées des califes conquéraient de vastes régions, des musulmans pieux

Croyants en méditation dans une mosquée

La contemplation fait partie intégrante de l'islam au même titre que l'action, puisque le Prophète a reçu les premières révélations du Coran alors qu'il se retirait à l'écart dans des grottes pour méditer.

fuyaient le pouvoir, le faste et les richesses de la cour pour s'adonner à la méditation et au jeûne. Peu à peu, ces premiers soufis se regroupèrent et formèrent école avec les disciples qui se joignaient à eux.

LA VOIE MYSTIQUE

Arrivée au sommet de son développement aux Xe et XIe siècles, la mystique musulmane, le soufisme, a produit de grands traités qui décrivent la voie mystique, l'itinéraire de l'âme éprise de Dieu. On peut y suivre le parcours du soufi, depuis son entrée dans la voie mystique par l'ascèse, le dépouillement de soi et l'abandon confiant à Dieu jusqu'à l'illumination, où le mystique, à la pointe la plus ténue de son esprit et de son cœur, est ravi à lui-même pour se perdre dans l'Autre. C'est l'extase ; il disparaît en quelque sorte de lui-même pour « survivre en Dieu », objet de sa quête et de son amour. Il ne conserve de sa propre conscience que le minimum nécessaire pour survivre comme individu distinct. Ce cheminement du soufi guidé par son maître est décrit comme une succession d'étapes graduées appelées « états » et « stations » et dont les composantes sont analysées dans les traités classiques avec une finesse psychologique remarquable.

LES ORDRES SOUFIS

Tout comme dans le christianisme, le mouvement mystique en islam a donné naissance à des ordres religieux voués à la recherche de Dieu à travers l'observance d'une règle léguée par un saint fondateur. Petit à petit, ces ordres se sont rapprochés de la masse des croyants en leur proposant des pratiques comme la récitation des « quatre-vingt-dix-neuf plus beaux noms d'Allah », des descripteurs qui apparaissent dans le Coran et qui présentent Allah comme, par exemple, celui qui entend, voit, donne, se souvient, pardonne, protège, guide, etc.

Pour faciliter cette récitation, ils utilisaient comme aide-mémoire une corde avec des nœuds, semblable au chapelet que saint Dominique proposera aux chrétiens. Les monastères soufis, comme ceux d'Europe, ont été des lieux de rayonnement de la culture et de la civilisation, des refuges face aux invasions barbares ou au despotisme des gouvernants.

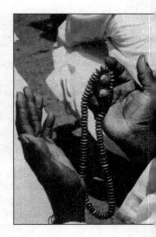

Le chapelet musulman
Peu importe son format
ou sa facture, le chapelet
musulman comporte
trente-trois grains.
Tourné trois fois,
il permet de réciter
les « quatre-vingt-dix-
neuf noms d'Allah ».

LES GUILDES D'ARTISANS

Tout comme en Europe, une sorte de tiers ordre s'est formé autour des monastères, donnant naissance à des guildes d'artisans regroupés sous l'égide de saints patrons. Graduellement, l'activité des soufis a quitté l'orbite de la mystique classique pour se retrouver dans celle de la religion populaire. Pour bien des croyants, le culte des saints en est venu à concurrencer la foi stricte en un seul Dieu au sens où, en prêtant des pouvoirs surnaturels à des humains, on en faisait des rivaux de Dieu. C'est ainsi que la religiosité populaire a graduellement transformé le sens du terme « fakir » (pauvre), qui était à l'origine synonyme de soufi, de mystique, pour lui donner le sens qu'on lui connaît aujourd'hui, c'est-à-dire quelqu'un qui a des pouvoirs extraordinaires.

LE RECOURS AUX MOYENS PSYCHOSOMATIQUES

S'arracher à soi-même pour se centrer sur le Tout Autre et se perdre en lui est une entreprise ardue qui fait appel à tout ce dont dispose la personne humaine. C'est ainsi, par exemple, qu'est apparue la pratique du *dhikr* (répétition), c'est-à-dire une technique de méditation centrée sur la répétition du nom divin (Allah), harmonisée avec le rythme

LES QUATRE-VINGT-DIX-NEUF NOMS D'ALLAH LE TRÈS-HAUT

1	*Allah*	Le Dieu Absolu qui se révèle	28	*Al-Basir*	Le Voyant, Celui qui voit absolument toute chose
2	*Ar-Rahman*	Le Très-Miséricordieux	29	*Al-Hakam*	Le Juge, l'Arbitre, Celui qui décide, tranche ou prononce
3	*Ar-Rahim*	Le Tout-Miséricordieux	30	*Al-'Adl*	Le Juste, l'Équitable, Celui qui rétablit l'équilibre
4	*Al-Malik*	Le Souverain, le Roi, le Suzerain	31	*Al-Latif*	Le Subtil-Bienveillant, le Bon
5	*Al-Qouddous*	L'Infiniment Saint	32	*Al-Khabir*	Le Très-Instruit, le Bien-Informé
6	*As-Salam*	La Paix, la Sécurité, le Salut	33	*Al-Halim*	Le Longanime, le Très Clément
7	*Al-Mou'min*	Le Fidèle, le Sécurisant, le Confiant	34	*Al-'Azim*	L'Immense, le Magnifique, l'Éminent, le Considérable
8	*Al-Mouhaymin*	Le Surveillant, le Témoin, le Préservateur, le Dominateur	35	*Al-Ghafour*	Le Tout-Pardonnant
9	*Al-'Aziz*	Le Tout-Puissant, l'Irrésistible, Celui qui l'emporte	36	*Ash-Shakour*	Le Très-Reconnaissant, le Très-Remerciant, Celui qui accroît infiniment
10	*Al-Djabbar*	Celui qui domine et contraint, le Contraignant, le Réducteur	37	*Al-'Aliyy*	Le Sublime, l'Élevé, le Très-Haut
11	*Al-Moutakabbir*	Le Superbe, Celui qui se magnifie	38	*Al-Kabir*	L'Infiniment Grand, plus élevé en qualités que ses créatures
12	*Al-Khaliq*	Le Créateur, le Déterminant, Celui qui donne la mesure de toute chose	39	*Al-Hafizh*	Le Préservateur, le Conservateur, Celui qui garde
13	*Al-Bari'*	Le Créateur, le Producteur, le Novateur	40	*Al-Mouqit*	Le Gardien, le Puissant, le Témoin, Celui qui produit la subsistance
14	*Al-Mousawwir*	Le Formateur, Celui qui façonne ses créatures de différentes formes	41	*Al-Hasib*	Celui qui tient compte de tout, Celui qui suffit à ses créatures
15	*Al-Ghaffar*	Le Tout-Pardonnant, Il pardonne les péchés de ses serviteurs encore et encore	42	*Al-Djalil*	Le Majestueux, qui s'attribue la grandeur du pouvoir et la gloire de sa dignité
16	*Al-Qahhar*	Le Tout et Très Contraignant, le Dominateur Suprême	43	*Al-Karim*	Le Tout-Généreux, le Noble-Généreux, Pur de toute abjection
17	*Al-Wahhab*	Le Donateur Gracieux, Généreux	44	*Ar-Raqib*	Le Vigilant, Celui qui observe
18	*Ar-Razzaq*	Celui qui pourvoit et accorde toujours la subsistance	45	*Al-Moudjib*	Celui qui exauce, Celui qui répond au nécessiteux et au désireux qui le prie
19	*Al-Fattah*	Le Conquérant, Celui qui ne cesse d'ouvrir et d'accorder la victoire	46	*Al-Wasi'*	L'Ample, le Vaste, l'Immense
20	*Al-'Alim*	Le Très-Savant, l'Omniscient	47	*Al-Hakim*	L'Infiniment Sage
21	*Al-Qabiz*	Celui qui retient et qui rétracte	48	*Al-Wadoud*	Le Bien-Aimant, le Bien-Aimé
22	*Al-Basit*	Celui qui étend sa générosité et sa miséricorde	49	*Al-Madjíd*	Le Très Glorieux, doté d'un pouvoir parfait, de haute dignité, de compassion, de générosité et de douceur
23	*Al-Khafiz*	Celui qui abaisse			
24	*Ar-Rafi'*	Celui qui élève			
25	*Al-Mou'izz*	Celui qui donne puissance et considération	50	*Al-Ba'is*	Celui qui ressuscite ses serviteurs après la mort, Celui qui incite
26	*Al-Mouzhill*	Celui qui avilit			
27	*As-Sami*	L'Audient, Celui qui entend absolument toute chose, qui est très à l'écoute	51	*Ash-Shahid*	Le Témoin, qui n'ignore rien de ce qui arrive

52	Al-Haqq	Le Vrai, dont l'existence est la seule véritable
53	Al-Wakil	Le Gérant, l'Intendant, Celui à qui on se confie et dont le soutien ne fléchit jamais
54	Al-Qawiyy	Le Très-Fort, le Très-Puissant, Celui qui possède le pouvoir complet
55	Al-Matin	Le Très-Ferme, l'Inébranlable qui jamais ne fléchit ou ne se fatigue
56	Al-Wáliyy	Le Très-Proche, l'Ami, le Maître, le Tuteur
57	Al-Hamid	Le Très-Louangé, Celui qui est digne de louanges
58	Al-Mouh'sy	Celui dont le savoir cerne toute chose, Celui qui garde en compte
59	Al-Moubdi	Celui qui produit sans modèle, Celui qui donne l'origine
60	Al-Mou'id	Celui qui redonne existence après la mort, Celui qui réintègre, qui répète
61	Al-Mouh'yi	Celui qui fait vivre, qui donne la vie
62	Al-Moumit	Celui qui fait mourir le vivant
63	Al-Hayy	Le Vivant, dont la vie est différente de notre vie
64	Al-Qayyoum	L'Immuable, le Subsistant par soi
65	Al-Wadjid	L'Opulent, Celui qui trouve ce qu'Il veut
66	Al-Mádjid	Le Noble, le Majestueux, Celui qui a plein de gloire
67	Al-Wahid	L'Unique, sans associé, le Seul, l'Un
68	As-Samad	Le Maître absolu, le Soutien universel, Celui en qui on place sa confiance
69	Al-Qadir	Le Puissant, le Déterminant, le Détenteur du pouvoir
70	Al-Mouqtadir	Celui qui a pouvoir sur tout, le Détenteur Absolu du pouvoir
71	Al-Mouqaddim	Celui qui met en avant, Celui qui précède ou devance
72	Al-Mou'akhkhir	Celui qui met en arrière, Celui qui vient en dernier ou qui retarde
73	Al-Awwal	Le Premier, dont l'existence n'a pas de commencement
74	Al-Akhir	Le Dernier, dont l'existence n'a pas de fin
75	Az-Zahir	L'Extérieur, l'Apparent
76	Al-Batin	L'Intérieur, le Caché
77	Al-Walí	Le Maître très proche, Celui qui dirige
78	Al-Mouta'ali	Le Sublime, l'Exalté, l'Élevé, Pur de tout attribut de la Création
79	Al-Barr	Le Bon, le Bienveillant, le Bienfaisant, envers ses créatures
80	At-Tawwab	Celui qui ne cesse de revenir, d'accueillir le repentir sincère de ses adorateurs et qui leur accorde son pardon
81	Al-Mountaqim	Le Vengeur, qui a le dessus sur ses ennemis et les punit pour leurs péchés
82	Al-Afouww	Celui qui efface, l'Indulgent dont le pardon est large
83	Ar-Raouf	Le Très-Doux, le Très-Bienveillant, à la miséricorde extrême
84	Malikoul-Moulk	Le Possesseur du royaume, qui contrôle son règne et donne un règne à qui Il veut
85	Zhoul Djalal Wal-Ikram	Le Détenteur de la majesté et de la générosité, qui mérite d'être exalté et non renié
86	Al-Mouqsit	L'Équitable, Celui qui rend justice, sans léser quiconque
87	Al-Djami	Celui qui réunit, Celui qui synthétise
88	Al-Ghaniyy	Le Suffisant par soi, Celui qui n'a besoin de personne
89	Al-Moughni	Celui qui confère la suffisance et satisfait les besoins de ses créatures
90	Al-Mani'	Le Défenseur, Celui qui empêche, Celui qui protège et donne victoire à ses pieux croyants
91	Ad-Dhar	Celui qui contrarie, Celui qui peut nuire (à ceux qui l'offensent)
92	An-Nafi	Celui qui accorde le profit, l'Utile, Celui qui facilite à qui Il veut
93	An-Nour	La Lumière
94	Al-Hadi	Le Guide
95	Al-Badi	Le Novateur, Celui qui a créé toutes choses et les a formées sans modèle
96	Al-Baqi	Le Permanent, dont la non-existence est impossible pour lui
97	Al-Waris	L'Héritier
98	Ar-Rachid	Celui qui agit avec droiture, Celui qui dirige avec sagesse
99	As-Sabour	Le Patient, le Très-Constant, qui repousse la punition des pécheurs

Intérieur d'une mosquée à Tripoli (Libye)

L'intérieur de la mosquée est l'endroit par excellence pour accomplir la démarche de sacralisation (séparation d'avec le monde extérieur) impliquée dans la prière.

Photo : D.R.

de la respiration. Cela correspond assez bien à « la prière de Jésus », une pratique des mystiques chrétiens d'Orient.

Lorsqu'il est pratiqué en groupe autour du maître, le *dhikr* prend la forme du *sama'*, littéralement « audition ». Au début, c'était le Coran que l'on écoutait réciter. Cette récitation devint rythmée et mélodique, puis, dans certains cas, accompagnée d'instruments de musique et de danse, comme dans l'ordre mystique soufi fondé par Djalal al-Din Roumi, appelé aussi Mawlana, au XIIIᵉ siècle, et dont se réclament encore aujourd'hui les derviches tourneurs. La poésie se mêle alors aux chants de louange à la gloire d'Allah et du Prophète dans une danse qu'exécutent les disciples. Le *dhikr* devient alors une sorte de liturgie, de véhicule psychosomatique qui prend en charge toute la personne pour la ravir en Dieu dans l'extase.

On peut dire que si l'islam et le christianisme sont si près l'un de l'autre sur le plan de la mystique, c'est peut-être parce que les mystiques, qu'ils soient musulmans ou chrétiens, veulent aller à Dieu directement, avec tout leur être, par le plus court chemin, celui de la contemplation, du face-à-face avec le Tout Autre. Ils font route sans s'encombrer de professions de foi, de concepts intellectuels et de doctrines. D'une certaine façon, leur expérience se suffit à elle-même, elle n'a pas besoin d'être validée par une série de raisonnements et d'explications, ou encore par une autorité extérieure à la voie mystique. Ce qui, pour eux, valide leur expérience, c'est la connaissance intuitive et intime d'un Absolu unique, dont les traits échappent aux colorations confessionnelles, aux catégories relatives qu'emploient les humains pour tenter de décrire leur expérience du Tout Autre.

En quoi consistent les cinq « piliers de l'islam » ? Sont-ils aujourd'hui encore les pratiques religieuses fondamentales qui rallient tous les musulmans ?

Les cinq « piliers de l'islam » sont les cinq obligations fondamentales qui incombent au croyant musulman. Le premier pilier consiste à professer sa foi en récitant la formule suivante appelée *shahada* : « Il n'y a de Dieu qu'Allah, et Mohammed est le Prophète d'Allah. » Comme elle fait partie de l'appel à la prière, cette formule ponctue la vie quotidienne des croyants. Elle intervient aussi à des moments importants de la vie, comme par exemple à la naissance, alors qu'on la récite à l'oreille du nouveau-né.

Le deuxième pilier est la prière rituelle *(salat)*. Le musulman doit prier cinq fois par jour, c'est-à-dire à l'aube, au milieu du jour, dans l'après-midi, au coucher du soleil et le soir. Après s'être purifié par des ablutions, le croyant s'oriente

Musulman en prière

Au moment de la prière, le musulman se sépare en quelque sorte de la vie courante en délimitant l'espace de prière par un tapis.

vers La Mecque. Il procède alors à la prière proprement dite, qui, selon le moment de la journée, comprend de deux à quatre séquences *(rak'a)* formées de gestes (inclinaisons, prosternations) et de paroles exprimant la soumission et la louange à Allah. La prière peut se faire à la maison ou dans un autre lieu, mais la prière du vendredi midi rassemble habituellement les croyants à la mosquée et elle est suivie d'un sermon. Lorsque des femmes participent à la prière commune, elles doivent se mettre derrière les hommes pour leur éviter des distractions.

L'aumône, le troisième « pilier de l'islam », est une obligation aussi importante que la prière. On distingue deux sortes d'aumône : la *zakat,* c'est-à-dire l'aumône obligatoire, et la *sadaqa,* c'est-à-dire l'aumône spontanée, qui est laissée à la générosité et à la ferveur du croyant. L'aumône prend une signification particulière pendant le mois du Ramadan (neuvième mois du calendrier musulman). Ce mois est consacré au jeûne *(sawm),* quatrième « pilier de l'islam ». Pendant cette période, entre le lever et le coucher du soleil, on doit s'abstenir de manger, de boire et d'avoir des relations sexuelles. Ce jeûne a pour but d'aider les musulmans à combattre les passions et à se sensibiliser à la condition

Musulmans en prière aux abords d'une rue

Peu importe le lieu où l'on se trouve, le moment de la prière coupe court aux activités courantes pour permettre aux croyants de reconnaître leur condition de créatures devant le créateur tout-puissant qu'est Allah.

Photo : Archives d'Orient.

des pauvres, qui n'ont pas toujours de quoi manger et qui reçoivent le soutien des croyants par l'aumône. La fin du jeûne est célébrée avec éclat par la fête de l'*'id al-fitr.*

Enfin, selon le cinquième « pilier de l'islam », le croyant qui en a la capacité et les moyens doit faire au moins une fois dans sa vie le **pèlerinage** à La Mecque, le *hadj.* Ce pèlerinage comprend plusieurs rites qui s'échelonnent sur environ une semaine. On pense spontanément à l'image impressionnante des milliers de pèlerins qui, massés en rangs serrés, font sept fois le tour de la *Kaaba,* l'édifice rectangulaire qui contient la « pierre noire » associée à la mémoire d'Abraham. Ce dernier est aussi considéré comme l'initiateur du sacrifice d'un agneau, rite qu'accomplissent les pèlerins et auquel s'associent les musulmans de par le monde à l'occasion de la « grande fête » *('id al-kabir).*

La fidélité à l'accomplissement de ces devoirs varie considérablement selon les circonstances et selon le degré de conviction des musulmans. Ainsi, on peut penser que,

Pèlerinage

Pendant le pèlerinage à La Mecque, le sentiment d'égalité et de fraternité entre tous les humains est symbolisé et renforcé par le fait que tous, riches ou pauvres et quelle que soit leur race, portent une simple tunique blanche.

Après avoir vécu cette expérience du pèlerinage, en 1964, Malcolm X, alors *leader* des *Black Muslims* américains, a abandonné ses conceptions fondées sur l'orgueil racial et le nationalisme noir.

Une colonie de tentes à Mina, près de La Mecque

Les pèlerins, quelle que soit leur condition sociale, campent dans des tentes pendant les divers rites du pèlerinage.

dans la plupart des pays musulmans, il est plus facile de s'acquitter de ces devoirs, ou plus difficile de s'y soustraire, selon le degré de pression sociale. Par contre, dans la diaspora, là où les musulmans sont en minorité et plus isolés les uns des autres, c'est le degré de ferveur personnelle qui vient déterminer l'attachement à la pratique des « piliers de l'islam ». Très souvent, cet attachement surmonte les difficultés liées à l'environnement socioculturel et agit comme facteur identitaire dans un contexte où l'islam n'est pas porté par la sphère publique.

Si la circoncision est couramment considérée comme une prescription de l'islam pour les garçons, qu'en est-il des mutilations génitales que constituent l'excision et l'infibulation ? Sont-elles vraiment exigées par l'islam pour les filles ?

Pour bien des gens, y compris beaucoup de musulmans, l'abstention du porc et la circoncision sont considérées

La *Kaaba* à La Mecque

Les pèlerins font sept fois le tour de la *Kaaba*, un édifice rectangulaire contenant la pierre noire. Selon la tradition, il s'agit d'une pierre d'origine céleste jetée par Allah sur la Terre comme gage du « pacte » entre Allah et la race d'Adam.

comme des marques distinctives de l'islam. Cette croyance populaire ne résiste pas longtemps à la constatation que ces deux pratiques existent aussi à tout le moins chez les juifs. De plus, en ce qui concerne l'islam, elles n'ont pas du tout la même importance. L'abstention du porc est clairement désignée comme obligatoire par le Coran et unanimement reconnue comme telle par la communauté. Il n'en est pas de même pour la circoncision. En effet, le terme « *khitan* », qui désigne la circoncision, n'apparaît pas dans le Coran, même si on le trouve dans la poésie arabe d'avant l'islam, ce qui pointe dans la direction d'une vieille coutume sémite. Cette coutume a fait son chemin dans la loi islamique *(charia)*, mais les écoles de loi ne s'entendent pas sur son statut. En effet, pour la plupart des juristes, la circoncision est *sounna*, c'est-à-dire recommandable, tandis que pour Shafi'i, fondateur de l'école shafi'ite, elle est *wadjib*, c'est-à-dire obligatoire. Les auteurs ne s'entendent pas davantage sur l'âge auquel le garçon doit être soumis à cette pratique ; cet âge varie d'une semaine à treize ans après la naissance. Dans la plupart des pays musulmans, la

Lapidation de la stèle de Mina

Au cours du pèlerinage à La Mecque, chaque pèlerin lance sept petits cailloux en direction d'une stèle appelée « le grand démon » située à Mina, près de La Mecque.

circoncision est l'occasion d'une fête, tandis qu'elle n'est même pas pratiquée dans d'autres.

En ce qui concerne les filles, le même Shafi'i mentionne le *khafd,* qui serait le correspondant pour les filles du *khitan* (circoncision) pour les garçons. Toutefois, la description sommaire qu'il donne de cette opération ne semble pas correspondre à la pratique de l'excision et encore moins à celle de l'infibulation. De plus, il considère cette pratique comme « recommandable », contrairement à la circoncision, qu'il considère comme « obligatoire ». Le *khafd* (circoncision des filles) ne semble pas avoir duré longtemps dans le monde arabo-musulman, puisque ce terme n'apparaît pas en ce sens dans les dictionnaires d'arabe classique ou d'arabe moderne.

Par ailleurs, si l'on parle d'**excision** (clitoridectomie partielle ou totale) ou d'infibulation (les grandes lèvres et parfois les petites sont cousues pour empêcher la pénétration), on constate que ce sont là des pratiques antérieures à l'islam, très localisées (dans certaines régions de l'Afrique), qui peuvent très difficilement se réclamer de l'islam et qui s'étendent également à des populations non musulmanes. Il reste alors à expliquer comment il se fait que des milliers de femmes musulmanes du continent africain croient sincèrement que ces pratiques sont exigées par leur religion et sont nécessaires pour que leurs filles soient vraiment femmes. On peut faire l'hypothèse que ces coutumes locales n'avaient au départ rien à voir avec l'islam, mais qu'à la longue les musulmanes qui les pratiquaient – et peut-être leurs maris – ont trouvé une légitimation supplémentaire dans les recommandations coraniques concernant la chasteté et la maîtrise de l'appétit sexuel.

Quoi qu'il en soit de leur teneur proprement religieuse, l'excision et l'infibulation sont considérées comme des **mutilations** génitales au Canada et dans de nombreux autres pays, incluant des pays musulmans. À ce titre, elles ne peuvent se justifier par la liberté de religion et elles constituent des offenses criminelles sujettes à des sanctions pénales. Même si ces opérations sont la plupart du temps faites à l'étranger, elles posent souvent problème ici aux intervenants en milieu de santé ; ces derniers sont en effet confrontés aux séquelles fréquentes d'interventions hasardeuses qui n'ont rien de médical. Pour eux, comme pour d'autres intervenants, la dénonciation ou le signalement peuvent apparaître comme souhaitables, sinon requis par la déontologie. Dans certains cas extrêmes, l'une et l'autre peuvent avoir des effets immédiats souhaitables. À plus long terme, toutefois, ces mesures peuvent contribuer

---

Excision

Dans la lutte contre les mutilations génitales, « entre autres stratégies, on a "reconverti" des exciseuses, payé le voyage de *leaders* religieux africains vers des pays islamiques de référence, comme l'Arabie Saoudite. Le but du voyage ? Leur faire constater les dégâts et l'inutilité de cette "énorme duperie qui fait croire depuis des siècles aux Africains qu'Allah le veut ainsi, alors qu'il n'en est rien", rappelle Aoua Bocar Ly », sociologue résidant aujourd'hui au Québec.

Louise Leduc, La Presse, *6 décembre 2003*

Mutilations

À l'article 268 du *Code criminel* canadien on lit : « Il demeure entendu que l'excision, l'infibulation ou la mutilation totale ou partielle des grandes lèvres, des petites lèvres ou du clitoris d'une personne constituent une blessure ou une mutilation au sens du présent article [...]. » Il s'agit alors de « voies de fait graves », considérées comme un « acte criminel passible d'un emprisonnement maximal de quatorze ans ».

à éloigner les parents et à priver les fillettes de soins néces-saires. Dans ce contexte, l'éducation se présente peut-être comme un investissement plus rentable à plus ou moins long terme.

Comment la communauté musulmane est-elle structurée et qui est habilité à parler au nom de l'islam et des musulmans ?

Qui parle au nom de l'islam ?

Après les événements du 11 septembre 2001, Samuel Huntington, l'auteur du livre controversé *Le Choc des civilisations*, était amené à nuancer sa position par rapport au monde musulman perçu comme une civilisation menaçant celle de l'Occident. Il déclarait notamment : « Même dans la crise que nous traversons, ils sont divisés. Ce milliard d'êtres humains constitue une foule de sous-cultures, de tribus. Il n'y a pas de civilisation moins unie que celle de l'Islam. Ce problème, Henry Kissinger l'a exprimé il y a trente ans à propos de l'Europe : "Si je veux parler à l'Europe, quel numéro dois-je composer ?" » Quand personne n'est officiellement habilité à parler au nom de l'islam, tout le monde peut parler et agir au nom de l'islam ou le laisser croire.

Au lendemain du 11 septembre 2001, une question se posait avec une acuité sans précédent : **qui parle au nom de l'islam** et des musulmans ? De fait, un très grand nombre d'organismes ou d'individus musulmans ont pris publiquement la parole pour condamner les auteurs de l'attentat et dissocier l'islam de ces actes. Pendant ce temps, les médias faisaient également – ou peut-être davantage – écho à des sons de cloche très différents entendus quelque part dans une école coranique du Pakistan ou chez un mollah taliban de l'Afghanistan. Au-delà de la tendance des médias à surligner, quels musulmans fallait-il croire ?

Ces interrogations débordent largement un événement particulier qui aurait momentanément brouillé les cartes. Elles réfèrent plutôt à l'un des traits permanents de l'islam, à savoir qu'il n'y a pas de hiérarchie religieuse officielle en islam, pas d'autorité suprême reconnue. Il n'y a pas d'instance correspondant à la papauté dans le catholicisme ou au Conseil œcuménique des Églises dans le protestantisme, ou encore au dalaï-lama dans le bouddhisme tibétain. Cela ne veut pas dire qu'il y a absence totale de structures en islam, mais qu'il faut aller du bas vers le haut plutôt qu'à l'inverse pour les découvrir ; il faut aller du plan local aux plans national et international.

Sur le plan local, c'est-à-dire dans les villages et les quartiers urbains, la mosquée et l'école coranique sont les principaux lieux qui structurent la vie de l'islam. La mosquée (« *masjid* », littéralement « lieu où l'on se prosterne ») est le lieu de la prière commune, surtout celle du vendredi. C'est en même temps un centre communautaire où l'on célèbre, discute, se concerte. La mosquée est habituellement confiée à un responsable, l'imam. Ce dernier est, minimalement, celui qui dirige la prière. Très souvent, il a une formation dans les sciences religieuses de l'islam, ce qui lui permet d'agir auprès des croyants comme conseiller en matière de questions religieuses. On dit souvent qu'il n'y a pas de clergé en islam. Cela est vrai dans la mesure où il n'y pas de ministres ordonnés et pas de sacrements. Les mollahs et les oulémas (experts en sciences religieuses), ainsi que les *mouftis* (experts en loi islamique) jouent souvent un rôle semblable à celui du clergé dans le christianisme : ils guident les croyants et peuvent exercer une influence importante sur eux.

L'école coranique *(madrasa)* est un lieu de transmission de la croyance et des pratiques. On y apprend à mémoriser et à réciter le Coran. On y étudie aussi les *hadith,* les récits qui relatent l'exemple du Prophète. On peut aussi y enseigner d'autres matières comme les mathématiques ou l'histoire. Dans la diaspora, en particulier chez les musulmans qui

Coupoles et minarets de la mosquée Badshahi à Lahore (Pakistan)

Par son architecture, la mosquée se veut une sorte de lien entre ciel et Terre. La coupole pointe dans la direction du ciel tandis que l'appel à la prière lancé du haut du minaret rassemble les croyants en les tirant de leurs préoccupations terrestres.

Photo : J.-R. Milot.

vivent en Occident, l'école musulmane est souvent une école privée qui dispense l'enseignement prévu pour l'ensemble de la population et qui, en plus, assure la formation religieuse musulmane. Il y a aussi, habituellement, une *Sunday school* qui dispense l'enseignement religieux aux enfants fréquentant l'école publique. Les communautés locales se forment sur des bases diverses et ont des contours plus ou moins définis. Les bases de rassemblement des musulmans en diaspora – bases plus officieuses qu'officielles – peuvent être territoriales (par exemple, la mosquée la plus proche), ethnolinguistiques (par exemple, une mosquée maghrébine francophone, une mosquée indo-pakistanaise anglophone) ou encore confessionnelles (par exemple, une mosquée chiite).

Au-delà des communautés locales, il n'y a pas vraiment de structure globale qui regroupe ces communautés. La plupart du temps, surtout en diaspora, elles sentent peu le besoin de se regrouper ou même de se voisiner. On trouve quand même des regroupements régionaux ou nationaux, qui font le plus souvent figure d'associations, de groupes d'entraide, de ressourcement et de vigilance. On pense par exemple à des organismes comme le Conseil islamique canadien, l'Islamic Association of North America, le Council on American-Islamic Relations (CAIR), le Conseil européen pour la *fatwa* et la recherche, le Conseil français du culte musulman.

Sur le plan international, il peut y avoir divers regroupements, surtout sur des bases régionales, mais il n'y a pas d'institution ou d'instance officiellement reconnue et habilitée à parler au nom de l'islam. Cela reflète en partie la grande diversité présente à l'intérieur de l'islam. Cela reflète aussi, peut-on croire, un esprit de tolérance qui peut se réclamer de la maxime coranique : « Pas de contrainte en religion » (Coran, chapitre 2, verset 256). De fait, tout au

Fontaine de purification dans une mosquée

Élément structurant de la vie de l'islam, la mosquée est d'abord le lieu de la prière commune, à commencer par le rite préparatoire de la purification.

long de son histoire, l'islam n'a pratiquement pas connu d'inquisition. On répugnait généralement à juger et à condamner des croyants qui n'avaient pas la même façon de comprendre et de vivre l'islam. Toutefois, dans le monde actuel, cette grande liberté d'expression et l'absence de contrôle par une autorité officielle présentent, au-delà de leurs avantages indéniables, des inconvénients de taille. Elles risquent, entre autres, de laisser le champ libre aux extrémistes qui occupent l'avant-scène mondiale en mobilisant les médias par leurs actions spectaculaires et leurs déclarations incendiaires. Ces extrémistes tentent de faire croire qu'il n'y a qu'un seul vrai islam, le leur. On a pourtant des raisons de croire qu'il y a toujours eu dans le passé et qu'il y a encore aujourd'hui plusieurs islams, mais que le leur ne s'y trouve pas, quoi qu'ils en disent.

Comment expliquer que l'Islam, après avoir été pendant des siècles à l'avant-garde de la science et de la civilisation, ait pu se retrouver pratiquement sous la tutelle de l'Europe à la période moderne ?

Si l'on est tenté d'expliquer par la religion (l'islam) tout ce qui se passe chez les musulmans, on pourra certes montrer du doigt la composante religieuse du déclin de l'Islam. On notera alors que la créativité des premiers siècles de l'islam avait peu à peu fait place à une stagnation de la pensée religieuse. Ainsi, la loi islamique, qui avait été le lieu par excellence d'interaction entre la culture et la religion, avait cessé d'être un mécanisme d'adaptation pour devenir un monument intangible et pétrifié. Cela assurait une certaine stabilité à la société, mais la frontière entre la stabilité et l'immobilisme n'est pas étanche. De son côté, le soufisme, qui avait été un bastion contre le chaos et la déchéance politiques, s'était dilué à mesure qu'il s'étendait aux masses populaires. Il avait en partie quitté l'orbite de la mystique et n'arrivait plus à s'insérer fonctionnellement dans celle de la politique.

Mais si l'on veut retracer les causes les plus déterminantes du déclin de l'Islam, il faut regarder ailleurs que du côté de la religion. Historiquement, les deux principaux moteurs de l'essor phénoménal de la société musulmane ont été l'agriculture et le commerce. Et c'est précisément là que s'est amorcée la spirale du déclin de l'Islam. Plutôt incultes en matière d'agriculture, les conquérants musulmans avaient respecté la compétence des gens qu'ils soumettaient. Avides d'apprendre de ces derniers, ils avaient acquis des connaissances qu'ils avaient ensuite transmises aux habitants d'autres régions. Mais, à la longue, la surexploitation du sol et des forêts a affaibli considérablement le rendement agricole en redonnant au désert de vastes étendues de terres arables qu'on lui avait laborieusement arrachées au fil des siècles.

Du côté du commerce, des facteurs externes sont venus s'ajouter au facteur interne de la dégradation de l'agriculture. La fin du XVe siècle a été un point tournant dans l'économie de l'Islam en bonne partie à cause des nouveaux trajets maritimes découverts par les Européens. En contournant l'Afrique par le sud, Vasco de Gama ouvrait une nouvelle route vers l'Inde et l'Extrême-Orient. Du coup, le contrôle naval de la Méditerranée et des routes terrestres comme la route de la soie, qui avait fait la prospérité des musulmans, perdait son intérêt. À l'ouest, la situation n'était guère plus reluisante, car, à la même époque, Christophe Colomb, lui aussi parti du Portugal, allait aboutir en Amérique. Cela allait permettre aux Européens de mettre la main sur des monceaux d'or et de métaux précieux qui inondèrent bientôt les marchés financiers en dévaluant considérablement les réserves monétaires des empires musulmans.

Rencontre d'intellectuels musulmans dans une bibliothèque, à Bassora, au XIIIe siècle

Pendant le Moyen Âge islamique, les bibliothèques ont joué un rôle culturel important. On y organisait la collecte, la copie et souvent la traduction des ouvrages religieux, scientifiques, littéraires nécessaires à la constitution d'une culture particulière tissée d'héritages grec, indien, perse et byzantin.

Document conservé à la BNF, Paris.

Le célèbre Taj Mahal, à Agra, en Inde

À la mort prématurée de son épouse bien-aimée Mumtaz Mahal, en 1631, le grand empereur moghol Shah Jehan a fait élever en sa mémoire un magnifique mausolée de marbre blanc qui, aujourd'hui encore, évoque le passé glorieux de l'islam en Inde.

Cette décadence économique ne pouvait être redressée par une intervention politique ou militaire. En effet, à la suite des invasions mongoles du XIIIᵉ siècle, le pouvoir central du califat de Bagdad s'était considérablement affaibli au profit d'empires locaux souvent en lutte les uns contre les autres. C'est ainsi que sont apparus trois grands empires, non plus au cœur mais aux confins de l'Islam : l'Empire turc ottoman, l'Empire perse safavide et l'Empire indien moghol. Le faste et les réalisations remarquables de ces empires ont sans doute réussi à masquer pendant un certain temps la faiblesse de leurs assises, mais l'inévitable finit par se produire. En 1798, Napoléon Bonaparte envahissait l'Égypte avec une facilité déconcertante. Le signal était

donné. Les puissances de l'Europe se lancèrent à la conquête des territoires musulmans. Au début du XXᵉ siècle, la plupart des régions de l'Islam se retrouvèrent ainsi sous la tutelle coloniale de pays européens comme la Grande-Bretagne et la France. Le moins que l'on peut dire, c'est que la colonisation n'avait pas pour but premier de remettre l'Islam sur pied. Même si elle se plaisait à se présenter comme une solution aux problèmes de l'Islam, la colonisation faisait souvent partie du problème plutôt que de la solution.

Le palais de justice de Lahore (Pakistan)

L'architecture de la période coloniale en Inde reflète bien l'impact de la présence européenne en sol musulman. Tout en reprenant des éléments typiques de l'architecture islamique moghole, cet édifice porte la marque indéniable de l'architecture victorienne implantée par les colonisateurs britanniques.

L'islam est-il allergique au progrès et à la modernité ? Les musulmans entretiennent-ils tous les mêmes rapports avec le monde moderne ?

On a facilement l'impression que les musulmans sont am-
bivalents par rapport à la modernité. On est souvent tenté
de mettre cette ambivalence sur le dos de l'islam lui-même,
qui serait congénitalement allergique au progrès et à la
modernité. On peut tout autant faire valoir que ce n'est pas
la modernité elle-même qui a heurté l'islam, mais plutôt la
manière avec laquelle les idées et les institutions modernes
ont été proposées ou imposées au monde musulman. Il faut
se rappeler que pendant des siècles les musulmans ont été
les maîtres du monde et que l'islam a été à l'avant-garde du
progrès et de la civilisation. C'est même aux musulmans
que l'Europe doit la transmission de la pensée grecque et la
diffusion de connaissances scientifiques et technologiques
glanées jusqu'en Chine, comme, par exemple, la fabrication
du papier ou encore les chiffres dits « arabes », empruntés à
l'Inde. Cet héritage a permis à l'Europe d'amorcer la Renaissance, ce qui, avec le temps, l'a propulsée en position
de commande de l'ère moderne.

L'avance prise par l'Europe fut si décisive qu'à partir du
XVIIIᵉ siècle la plupart des terres de l'Islam tomberont sous
le contrôle direct ou indirect des puissances européennes.
Les musulmans n'étaient plus maîtres chez eux, ce n'étaient
plus eux qui décidaient de ce qui était bon pour eux ;
c'étaient les pouvoirs coloniaux qui établissaient le programme d'action des musulmans et ce programme était
habituellement établi en fonction des intérêts de la mé-
tropole, sans égard aux sentiments et à la culture des
colonisés. Pas étonnant que les musulmans, comme bien
d'autres groupes, aient été passablement traumatisés par

l'intrusion de nouveautés qui bouleversaient leurs sociétés. Dans certains cas, ils durent franchir en quelques décennies des étapes d'évolution que l'Europe avait mis quelques siècles à parcourir. Ainsi présentée, la modernité pouvait avoir de quoi séduire, mais elle pouvait aussi provoquer des replis ou à tout le moins de l'essoufflement.

Aujourd'hui encore, on trouve chez les musulmans diverses tendances face au monde moderne. En simplifiant considérablement les choses, on peut déceler et décrire brièvement **trois tendances** principales : le traditionalisme, le fondamentalisme et le modernisme. Ces tendances se distinguent par la façon dont elles diagnostiquent ce qui ne va pas dans l'islam et par la façon d'y remédier.

La tendance TRADITIONALISTE est surtout celle des chefs religieux traditionnels et de l'islam officiel. Pour eux, ce n'est pas l'islam lui-même qui est en cause. Ils croient que la théologie et la loi islamique élaborées par les docteurs du Moyen Âge sont toujours valides et n'ont pas besoin d'être changées en fonction du monde moderne. Il s'agit simplement pour les musulmans de s'en imprégner davantage, de se retremper dans la tradition, car le problème est du côté des musulmans.

Pour les partisans de la réforme, par contre, c'est l'islam lui-même qui est en cause et qui a besoin d'être réformé, de changer de forme. Et quand il s'agit de savoir quelle forme lui donner, le mouvement de réforme emprunte deux directions, selon que l'on regarde en arrière ou en avant pour trouver le remède aux problèmes actuels.

Dans l'optique de la tendance FONDAMENTALISTE, il faut regarder en arrière pour trouver un remède aux problèmes de l'islam ; il faut retourner aux fondements de l'islam : le Coran et la tradition *(sounna)* du Prophète. C'est ce qui a fait le succès de l'islam et ce qui le remettra sur ses pieds.

Trois tendances

Pour les traditionalistes, l'édifice de l'islam est bien comme il est ; il n'a pas besoin de changement ; il a seulement besoin d'être entretenu et habité. Pour les fondamentalistes, l'édifice de l'islam a besoin d'être restauré, d'être ramené à la pureté et à l'authenticité de ses origines. Pour les modernistes, l'édifice de l'islam a besoin d'être vraiment rénové en s'ajustant à la vie moderne.

L'Institut du monde arabe, à Paris

Conçu pour faire connaître et rayonner la culture arabe, l'IMA est un lieu rencontre et de documentation qui résulte d'un partenariat entre la France et vingt-deux pays arabes.

L'architecture remarquable de l'immeuble de l'IMA est un attrait en soi.

Photo : www.imarabe.org

La tendance MODERNISTE regarde en avant et veut adapter l'islam au monde moderne en empruntant à l'Occident les idées et les institutions qui ont assuré son succès. En agissant ainsi, les musulmans ne feront que reprendre possession d'un héritage de science et de technologie qu'ils avaient transmis aux Occidentaux. S'il est bien compris, mis à niveau en fonction de l'évolution de l'humanité, l'islam est tout à fait compatible avec le progrès et la modernité.

Il s'agit là de tendances, de types de réactions face au monde moderne. Il ne s'agit pas de partis ou de mouvements dont on pourrait dénombrer les membres en classant chaque musulman dans l'une ou l'autre catégorie plus ou moins abstraite. Ce qui existe concrètement, ce sont des individus qui sont sollicités par diverses tendances sans nécessairement se cantonner dans une seule. Si l'on transpose cela à l'échelle d'une société, on est en mesure de comprendre bien des tiraillements et des ambivalences chez les musulmans par rapport à la modernisation. Cela ne veut pas dire que l'islam est allergique au progrès et à la modernité ; cela veut dire que les musulmans, comme beaucoup d'autres, s'interrogent sur ce qu'est vraiment le progrès de l'humanité et sur le prix à payer pour le réaliser.

Qu'est-ce qu'un État islamique ?

Un État islamique, c'est un idéal. Cet idéal fait partie d'une idéologie, l'islamisme, qui est un assemblage d'idées découpées à même l'islam et recyclées pour servir une visée politique. Pour comprendre l'émergence de cette idéologie et l'attrait qu'elle exerce dans certains pays musulmans, il faut d'abord voir dans quoi elle s'enracine. Le terreau de l'islamisme, c'est une situation de subordination économique et politique dans laquelle une grande partie des pays musulmans se trouvent, même après des décennies d'indépendance officielle. Le mirage du progrès à l'occidentale s'est peu à peu estompé devant la réalité des masses musulmanes exclues du partage du progrès et de la prospérité. Cette situation, ce n'est pas la religion qui l'a créée, ce sont l'exploitation et la corruption. Toutefois, dès qu'une situation de déchéance existe, la religion, manipulée par des mains expertes, peut devenir un instrument terriblement puissant pour canaliser à des fins politiques le désespoir et le ressentiment des laissés-pour-compte. Ce n'est pas là un

Bharatiya Janata Party

Fondé en 1957, le parti se propose de reconstruire l'Inde pour la mettre en accord avec la culture et la religion hindoues. Au terme d'une progression de son influence auprès de l'électorat, le BJP a pris la tête d'un gouvernement de coalition en 1999.

État islamique

Un État islamique, c'est davantage une sorte d'islam qu'une sorte d'État : c'est un islam utopique et le plus souvent totalitaire qui veut contrôler toute la vie de la société aussi bien que celle des individus.

phénomène propre à l'islam, comme en témoigne, entre autres, l'action du **Bharatiya Janata Party** (BJP), parti nationaliste hindou (intégriste) qui a pris le pouvoir en Inde.

En contexte musulman, les islamistes proposent une explication religieuse très simple aux déboires des musulmans : si l'on est dans cette situation de subordination, c'est que l'on s'est éloigné de l'islam en se soumettant à l'Occident plutôt qu'à Allah. La solution, c'est alors de revenir à l'islam, la troisième voie, qui permet d'échapper au matérialisme des deux autres voies, à savoir le communisme et le capitalisme. Ce retour à l'islam, c'est beaucoup plus qu'un retour à la mosquée ; c'est un retour sur la place publique, dans l'espace sociopolitique. Pour les islamistes, les gouvernements musulmans qui ont été mis en place par les Occidentaux, sur la base de l'État-nation, ne sont pas légitimes. Il faut donc faire une révolution politique et sociale afin d'instaurer un État islamique.

Reste à savoir ce que l'on met sous l'appellation d'« **État islamique** ». Globalement, c'est un État conforme aux normes de l'islam, car, si l'on en croit les islamistes, l'islam est un code de vie intégral qui a réponse à tous les problèmes pouvant se poser dans une société. Mais quel islam ? Sûrement pas celui des modernistes ni même celui des traditionalistes. C'est l'islam des fondamentalistes, un islam pur et dur, qui repose sur une compréhension littérale du Coran et de la tradition du Prophète. La loi islamique est appliquée à la lettre, sans égard à l'expertise traditionnelle. Elle devient territoriale et s'applique à tous les citoyens de l'État-nation, non-musulmans aussi bien que musulmans. Cela va à l'encontre de la loi islamique traditionnelle elle-même, en plus de contrevenir aux droits de la personne. Ces droits sont aussi bafoués dans le sort réservé aux femmes, qui sont traitées en classe inférieure. La souveraineté

appartient à Allah et non au peuple, avec, comme corol-
laire logique, le principe que le pouvoir doit être exercé par
ceux qui sont le plus près d'Allah et qui connaissent le mieux
la religion, c'est-à-dire les experts religieux.

Quand il s'agit du choix des moyens pour instaurer un
État islamique, les islamistes modérés s'appliquent à créer
de petits groupes de croyants intègres et fervents pour lutter
contre l'injustice et la corruption. Ce choix se traduit par
une aide concrète apportée aux démunis, comme par
exemple l'établissement d'écoles et de dispensaires dans des
zones rurales laissées-pour-compte par les gouvernements
en place. L'engagement auprès des masses et l'appui de ces
dernières ouvrent la voie à une action politique qui vise à
prendre le pouvoir par des moyens démocratiques. C'est ce
que proposait le FIS (Front islamique du salut) en Algérie
au début des années 1990, en présentant un programme
électoral qui prévoyait l'abolition de la démocratie et
l'instauration de la loi islamique comme constitution du
pays. Comble du paradoxe, devant le succès du FIS au premier tour des élections, les gouvernants en place ont décidé
de sauver la démocratie en abolissant les élections... Il n'en
fallait pas plus pour qu'en désespoir de cause un groupe
radical se forme et entreprenne des actions violentes. Ce
groupe, le GIA (Groupe islamique armé), a semé la terreur
et a terni l'image du FIS auprès des masses, permettant ainsi
au gouvernement en place d'activer la répression et de faire
porter au compte du GIA des attentats de toute provenance.

L'idéal de l'État islamique est un rêve qui peut devenir
un cauchemar, comme ce fut le cas dans l'Afghanistan des
talibans. C'est aussi un rêve qui perd passablement de son
attrait quand il a l'occasion de devenir réalité. Ce semble
être le cas de l'Iran, qui, en 1979, devenait le fer de lance et
le prototype de la « révolution islamique ». Vingt-cinq ans

Khomeyni

L'ayatollah Khomeyni,
fort du titre d'imam qui
consacrait son rôle dans
le succès de la révolution
islamique, avait inauguré,
en 1979, la mise en
pratique d'une théorie qui
confiait le pouvoir de
gouverner au clergé.

Photo : D.R.

plus tard, il est bien loin le régime de l'ayatollah Khomeyni. À chaque élection, le pouvoir du clergé chiite conservateur s'effrite, en grande partie grâce au vote des femmes. Paradoxalement, ces dernières ont conservé leur droit de vote malgré la tourmente de la révolution islamique iranienne, alors que leurs sœurs musulmanes du Koweït se font régulièrement refuser ce droit par le Parlement malgré la « libération » apportée par les États-Unis et leurs alliés lors de la guerre du Golfe... Comme quoi les humains, y compris les intégristes musulmans, ne vivent pas toujours à la hauteur de leurs idéaux ; ils révisent souvent leurs idéologies pour les ajuster à la réalité, qu'ils vivent dans un État islamique ou non.

Le Coran prône-t-il la violence ou la paix ?

En tout respect pour les croyants de diverses allégeances, on peut dire qu'il en est du Coran comme des autres écrits sacrés de l'humanité : souvent, on y trouve ce que l'on y apporte. Si quelqu'un ouvre le Coran avec la rage au cœur et en y cherchant une légitimation de la violence qui l'habite, il y trouvera des passages qui lui paraîtront justifier sa position. Par contre, si quelqu'un ouvre le Coran avec un esprit pacifique, il y trouvera des passages qui renforceront son attitude. L'islam est né dans une société où la violence était en bonne partie considérée comme quelque chose de normal. Le pillage des caravanes, par exemple, constituait un gagne-pain honorable pour les Bédouins, et les premiers musulmans exilés à Médine y eurent recours pour survivre. Si le sang d'un membre d'un clan était versé, son clan devait infliger le même traitement à un membre du clan adverse ; une fois enclenché, le mécanisme de la « dette du

sang » entraînait des meurtres en série. C'était là un aspect de la loi du talion qui s'appliquait dans ce milieu.

Le Coran et l'action du Prophète n'eurent pas pour effet de supprimer la violence, ce qui était tout simplement impossible, mais plutôt de l'endiguer, de lui assigner des limites ou mieux des substituts. Ainsi, la « dette du sang » est compensée par l'affranchissement d'un esclave ou par une somme d'argent ; « celui qui n'en a pas les moyens jeûnera deux mois de suite, en signe de repentir imposé par Dieu » (Coran, chapitre 4, verset 92). La loi du talion n'est pas abolie telle quelle, « mais celui qui abandonnera généreusement son droit obtiendra l'expiation de ses fautes » (Coran, chapitre 5, verset 45). Comme on le voit, la référence à un au-delà au nom de Dieu devient un incitatif à restreindre la violence.

Le recueillement dans la prière

Cinq fois par jour les croyants musulmans concluent les rites de la prière en récitant la formule de désacralisation (« retour » au monde ambiant) : « La paix sur vous ainsi que la miséricorde d'Allah ! »

Photo : Archives d'Orient.

Dans le Coran on trouve aussi des passages qui semblent prôner la violence au nom du même Dieu. On pense en particulier aux versets 190 à 194 du chapitre 2, qui sont considérés comme le fondement coranique de la lutte armée. Ces versets et d'autres du genre sont un répertoire de choix pour les fervents du terrorisme chez les extrémistes islamistes actuels. Notons pour l'instant que la loi du talion semble être le standard et, d'une certaine manière, l'élément régulateur invoqué dans ces versets : « Soyez hostiles envers quiconque vous est hostile, dans la mesure où il vous est hostile » (verset 194 du chapitre 2).

Si des passages du Coran pris littéralement peuvent, pour certains, cautionner la violence, de nombreux autres mettent en relief les bienfaits de la paix. Le terme « *islam* » lui-même, nous disent les fervents de la paix, est un dérivé de *salam* (s-l-m), qui signifie « paix, sécurité ». En ce sens, l'islam, c'est ce qui fait que l'on est en paix, en sécurité. Ainsi, les croyants sont invités à « entrer tous dans la paix » (Coran, chapitre 2, verset 208). La récompense des croyants, le paradis, est « le séjour de la paix » (Coran, chapitre 6, verset 127 et chapitre 10, verset 25, entre autres). Invoquer la « paix » sur quelqu'un, c'est la formule de bénédiction d'Allah pour ses prophètes (Coran, chapitre 37, versets 79, 109, 120, 130, 181) et c'est aussi la formule de salutation usuelle des musulmans. Comme on le voit, le Coran comporte apparemment une certaine dose d'ambivalence en regard de la paix et de la violence. Dans ce cas comme dans bien d'autres, ce qui devient déterminant, ce n'est pas tant ce que dit l'écrit sacré que ce que chaque croyant choisit d'en retenir ou d'en comprendre en fonction de son vécu...

Les chefs religieux musulmans avaient été quasi unanimes à condamner les attentats du 11 septembre en affirmant que la doctrine du *djihad* (lutte armée, guerre sainte) ne pouvait justifier de tels actes. Comment expliquer que, moins de deux ans plus tard, ces mêmes chefs religieux aient émis des avis contradictoires quant au devoir des musulmans de participer au *djihad* pour repousser les envahisseurs américano-britanniques de l'Irak ?

Les divergences dans l'interprétation du *djihad* remontent presque aux origines de l'islam. Le Coran lui-même contient des passages susceptibles de légitimer aussi bien le pardon des offenses et l'appel à l'islam par la persuasion que la lutte armée pour l'expansion de l'islam et le combat contre les agresseurs. Les théologiens et juristes musulmans se sont par la suite appliqués à harmoniser ces différences en formulant des doctrines qui laissent elles-mêmes place à diverses interprétations, si bien qu'aujourd'hui on se retrouve encore devant une sorte de continuum de positions qui vont des conceptions modérées et minimalistes du *djihad* jusqu'aux conceptions pures et dures les plus extrêmes.

DJIHAD : LUTTE CONTRE SOI-MÊME

Il faut tout d'abord préciser que le terme « *djihad* » signifie en lui-même « effort tendu vers un but », et non « guerre sainte » ou « lutte armée ». De fait, pour la plupart des musulmans, le but assigné à cet « effort tendu » qu'est le *djihad*, c'est d'abord et avant tout la lutte que chacun doit mener contre soi-même en vue du perfectionnement moral et religieux. Ils parlent alors de « *djihad* majeur » ou « *djihad* des âmes », en citant une tradition selon laquelle le prophète Mohammed aurait dit, au retour d'une expédition armée contre les Mecquois : « Maintenant que le petit *djihad* est accompli, il faut passer au grand *djihad,* à la lutte contre soi-même, contre ses passions. »

Quant aux passages du Coran qui semblent prôner assez clairement la lutte armée contre les infidèles, les tenants de cette interprétation moralisante nous disent que ces passages ne visaient que le contexte dans lequel les premiers musulmans, Prophète en tête, devaient défendre l'islam naissant contre les attaques des Mecquois. Une fois l'islam bien établi, le « *djihad* mineur » n'a plus de raison d'être et cède le pas à la lutte contre soi-même.

Cette façon de voir, même si elle est très largement majoritaire chez les musulmans actuels, n'est pas la seule possible. Volontairement ou non, elle occulte ou minimise la doctrine classique développée par les juristes musulmans. Celle-ci entend régir le *djihad* pris dans son sens le plus courant, c'est-à-dire la lutte armée pour l'expansion ou, le cas échéant, la défense de l'islam. On distingue alors la lutte offensive et la lutte défensive.

DJIHAD : LUTTE POUR RÉPANDRE L'ISLAM

Pour les juristes musulmans de la période classique, l'obligation de l'action armée pour répandre l'islam découle du fait que, théoriquement, l'islam doit s'étendre à l'ensemble du monde et, au besoin, par la force. On parle alors de guerre offensive. L'obligation du *djihad* offensif incombe à l'ensemble de la communauté ; c'est un devoir collectif et non individuel. Les juristes musulmans donneront à cette obligation un caractère plutôt symbolique en déclarant : pour que le devoir collectif du *djihad* offensif soit satisfait, il suffit que l'émir (le prince) rassemble une troupe d'une centaine d'hommes armés et qu'il se rende aux portes de la ville comme s'il allait en expédition pour la cause de l'islam. Aujourd'hui, les musulmans qui croient en la

**Propagande
d'al-Qaeda**

Affiche à grand tirage,
publiée à Islamabad
(Pakistan), représentant
Ousama Ben Laden
avec une panoplie
d'armes modernes.

vocation universelle de l'islam soutiennent que l'islam doit
être répandu par l'exemple et la persuasion, conformément
à la parole du Coran : «Pas de contrainte en religion!»
(chapitre 2, verset 256).

DJIHAD : LUTTE POUR DÉFENDRE L'ISLAM

Le *djihad* défensif, lui, consiste à défendre l'islam contre les agressions ; en ce sens, défendre les frontières de l'Islam a un caractère particulièrement méritoire. Bon nombre de musulmans soutiennent actuellement que seul le *djihad* défensif est autorisé par l'islam, en cas de défense de soi-même ou de secours que l'on doit porter à un allié ou à un frère sans défense. Contrairement au *djihad* offensif, le devoir de défendre l'islam incombe à chaque individu et non à la collectivité. Toujours selon la théorie classique, l'obligation du *djihad* défensif, tout comme celle du *djihad* offensif, est relative et contingente ; elle ne s'impose que si les circonstances sont favorables et permettent d'espérer une issue victorieuse. De plus, il n'appartient pas à n'importe qui de déclarer le *djihad*. Il faut que l'état de lutte défensive soit déclaré par une autorité religieuse établie, comme celle des mollahs, des oulémas, des mouftis, des ayatollahs.

LA VERSION DE BEN LADEN

On peut noter ici qu'Ousama Ben Laden a invoqué la théorie classique du *djihad* défensif pour légitimer l'action d'al-Qaeda. Pour lui, c'est l'Islam conçu globalement qui est menacé par les assauts de l'Occident et qui doit être défendu ; chaque musulman est donc tenu de mener la lutte tant et aussi longtemps que les musulmans seront opprimés par l'Occident. Et Ben Laden prend soin d'ajouter que cette façon de voir les choses a été endossée par un mollah, qui a émis une *fatwa* (opinion juridique) autorisant le *djihad*. La plupart des musulmans font toutefois valoir que les attentats du 11 septembre 2001 ne peuvent se réclamer de la théorie classique du *djihad,* car celle-ci, s'appuyant sur le Coran, condamne la mise à mort d'innocents.

Cela explique en grande partie la réprobation des chefs religieux musulmans à l'égard de cet événement.

LA GUERRE D'IRAK

Alors, comment expliquer que certains chefs religieux faisant autorité aient lancé un appel au *djihad* à l'occasion de l'invasion américano-britannique de l'Irak en avril 2003 ? Il semble que cet appel pouvait se réclamer de la théorie classique du *djihad*. Un groupe précis de musulmans était menacé sur son propre territoire par des forces extérieures non musulmanes, et il incombait alors à tout musulman qui le pouvait de porter secours à ses frères, mais seulement sur le territoire musulman attaqué et non par des attentats en sol non musulman. On est ici loin de la vision globalisante de Ben Laden. Mais, même là, d'autres chefs religieux, particulièrement dans les pays non musulmans, se sont montrés en désaccord avec cet appel au *djihad*. Ils rejoignaient peut-être la position de bon nombre de juristes musulmans et de théologiens chrétiens pour qui les doctrines classiques régissant la guerre sont devenues dangereusement anachroniques à une époque où les moyens de destruction sont hors de proportion avec ceux dont disposaient les croisés et leurs adversaires.

Peut-on donner à un kamikaze islamiste le titre de *shahid* (martyr) ? Les auteurs des attentats du 11 septembre méritaient-ils ce titre et les récompenses qui y sont associées ?

Pour Ben Laden, la réponse était clairement oui, alors que pour la plupart des musulmans ces kamikazes n'étaient vraiment pas des ***shahid*** (martyrs) ; ils étaient plutôt doublement pécheurs car ils s'enlevaient la vie et prenaient celle

Shahid

Le terme signifie littéralement « témoin », mais il est couramment employé au sens de « martyr ».

Ousama Ben Laden

Pour Ben Laden, les kamikazes du 11 septembre 2001 méritent le titre de « martyrs » et les récompenses qui y sont associées.

Photo : D.R.

de milliers d'innocents. Pour comprendre ces divergences radicales, il faut les situer dans le contexte de la théorie classique du martyre élaborée par les juristes et les théologiens musulmans.

LA FASCINATION EXERCÉE PAR LE MARTYRE

Le martyre a fasciné les musulmans à travers les âges, la mort au combat représentant le sommet des aspirations du croyant. Dans cette optique, la meilleure façon de quitter la vie, c'est de la donner pour la cause la plus élevée, celle de l'islam. Comme on l'a constaté, par exemple dans la guerre Iran-Irak (1980-1988) et dans l'*intifada* palestinienne, on voit des mères manifester leur gratitude pour le martyre de leurs fils, transformant le deuil en un sentiment de gratification pour l'ensemble de la collectivité. Cet attrait du martyre est particulièrement évident chez les chiites, pour qui le martyre associe étroitement le croyant à la passion rédemptrice des premiers imams, Ali et Hosayn.

LES RÉCOMPENSES DU MARTYRE

Si l'honneur attaché au martyre est une motivation très efficace qui aide à vaincre la crainte naturelle de la mort, la récompense attachée au martyre l'est à tout le moins autant. La récompense des « martyrs du champ de bataille » comporte deux dimensions. En ce monde-ci, ils ont droit à des rites funéraires particuliers : leur corps n'a pas à être lavé, car il est purifié par le martyre ; leurs vêtements tachés de sang leur servent de linceul et de preuve de leur statut privilégié ; et, enfin, ils sont l'objet de prières spéciales d'intercession.

Ce qui fascine encore plus le croyant moyen aussi bien que Ben Laden, c'est la récompense du martyre dans l'au-delà, les bénédictions décrites par la tradition. Tous ses péchés lui ayant été pardonnés, une couronne de gloire est placée sur la tête du martyre. Son intercession est acceptée pour soixante-dix de ses proches. Il épouse soixante-douze houris, des jeunes filles d'une beauté et d'une jeunesse éternelles.

Au cours des conquêtes qui suivirent la mort du prophète Mohammed, de nombreux croyants moururent sur la terre ferme et d'autres en mer. Selon certaines traditions, ces derniers sont censés recevoir en double la récompense du martyre. C'est sans doute dans l'analogie entre la mort en mer et la mort dans les airs que Ben Laden a puisé l'idée que les kamikazes du 11 septembre auraient en double la récompense du martyre.

Ben Laden et ses supporteurs avaient-ils raison de considérer les kamikazes du 11 septembre 2001 comme des martyrs ? Pour répondre à cette question, il faut considérer les conditions à satisfaire pour avoir droit au titre de martyr.

LES CONDITIONS À SATISFAIRE

Sans entrer dans toutes les divergences d'écoles en la matière, on attribue le titre de martyr à ceux qui se sont engagés dans la bataille pour la cause de la religion et pour mériter la récompense divine. On admet généralement que leur mort doit être la conséquence directe et immédiate des blessures reçues au combat mais, une fois de plus, l'interprétation de cette règle varie d'une école à l'autre.

La frontière entre la recherche du martyre, qui est un acte méritoire, et le suicide, qui est un péché, est un autre point qui laisse place à l'interprétation. Pendant la vie du Prophète et durant les années de conquête qui ont suivi sa mort, de nombreux croyants ont fait montre d'une bravoure extraordinaire contre des ennemis supérieurs en nombre. Leur conduite est citée en exemple et confère un caractère légitime à la recherche du martyre. Cependant, qui peut dire à quel point précis cette recherche quitte l'orbite du martyre pour entrer dans celle du suicide?

Ici, comme dans le cas du *djihad,* la doctrine classique de l'islam se prête à diverses interprétations. Cette doctrine, si elle n'est pas vigoureusement révisée, continuera à servir d'argumentaire et de motivation à ceux et celles qui ont une mémoire très sélective du Coran quand il s'agit de choisir les moyens pour servir une cause qu'ils et elles estiment juste.

Étant donné que le Coran condamne le prêt à intérêt, en quel sens peut-on parler de « banque islamique » et de « finance islamique » ?

Il faut tout de suite préciser que ce que le Coran condamnait, au départ, c'était le *riba* (Coran, chapitre 3, verset 130 et chapitre 30, verset 39). Le problème, c'est que *riba* peut tout aussi bien signifier « intérêt » qu'« usure ». Pour nombre de musulmans modernes, ce qui est interdit par le Coran, ce n'est pas la chose elle-même mais l'excès que l'on peut en faire, dans ce cas comme dans le cas de l'interdiction du vin. Au temps du Prophète, le prêt à intérêt prenait des proportions usuraires, et c'est précisément cela qui est visé par l'interdiction coranique, et non pas l'intérêt en lui-même. Toutefois, la loi islamique ne l'a pas entendu ainsi. Non seulement a-t-elle interdit l'intérêt, peu importe le taux, mais elle a rigoureusement étendu l'interdiction à tout ce qui, de près ou de loin, ressemble à de l'intérêt.

Comment expliquer, alors, le développement phéno-ménal de l'économie, du commerce et du système bancaire en terre d'Islam au Moyen Âge? Cela est dû partiellement au clivage entre ce que disait la loi islamique et l'emprise

concrète qu'elle avait dans la société. Elle était souvent re-
léguée à l'arrière-plan par des coutumes locales. Par exemple,
les contrats et les obligations étaient régis par un droit coutumier qui était beaucoup plus flexible et adaptable que la
loi islamique officielle. C'est ainsi que fut mis en place un
système bancaire d'avant-garde pour l'époque. Au IXᵉ siècle,
par exemple, on pouvait encaisser au Maroc un chèque émis
à Bagdad. Plusieurs des institutions du droit coutumier musulman furent adoptées par l'Europe médiévale ; en font foi
des termes comme « chèque », qui vient de l'arabe « *sakk* »,
littéralement « document écrit », comme « aval », qui vient
de l'arabe « *hawala* », pour désigner l'endossement d'une
lettre de change.

Une autre raison du développement économique musulman médiéval réside dans le système de *hiyal*, des
astuces parfois extrêmement complexes qui permettaient
en quelque sorte de satisfaire à la lettre de la loi tout en
contournant son esprit. On pense, par exemple, à la plus
élémentaire de ces astuces, la *mokhatara*, la double vente,
qui en vient à rendre presque fictif l'objet de la vente. J'ai
besoin de cent dollars pour ouvrir une échoppe de limonade ;
vous me vendez votre montre pour cent-dix dollars, montant que je m'engage à vous payer dans un an ; quelques
minutes plus tard, je vous vends la même montre pour cent
dollars, montant que vous me payez immédiatement ; j'ai
les cent dollars dont j'ai besoin, vous avez toujours votre
montre et dans un an vous toucherez cent dix dollars sans
que personne ait parlé d'intérêt...

Malgré son caractère un peu grossier, cette astuce devint tellement populaire qu'elle franchit bientôt les
frontières de l'Islam pour être avidement adoptée par les
financiers de l'Europe chrétienne sous le nom de *mohatra*,
qui fut officiellement condamnée par l'Église romaine en

1679. En dépit des condamnations analogues par les autorités religieuses musulmanes, cette pratique existe encore
au Pakistan.

Quand on parle de « banque islamique » et de « finance
islamique », on ne réfère pas à la période médiévale mais à
un phénomène qui a pris de l'ampleur dans la deuxième
moitié du XXᵉ siècle. À la période coloniale, les Européens,
qui avaient été largement tributaires des musulmans au
Moyen Âge, leur ont en quelque sorte rendu la politesse en
venant établir en terre d'Islam des systèmes bancaires et
financiers occidentaux modernes. Cela a amené un déclin
des institutions musulmanes. Plus tard, à mesure que les
pays musulmans accédaient à l'indépendance, surtout après
la Deuxième Guerre mondiale, des musulmans pieux ont
commencé à se préoccuper de la façon dont leurs épargnes
étaient gérées et investies dans les grandes banques. Cela a
progressivement donné naissance à des **banques islamiques**
et à la « finance islamique », que l'on appelle parfois *lariba*,
« sans intérêt ». On désigne alors ainsi l'ensemble des modes
de financement mis en place par les musulmans pour respecter l'interdiction du *riba*, à savoir l'interdiction de
l'intérêt au sens conventionnel du terme aussi bien que celle
de l'usure. L'essor de ces institutions a été favorisé par un
certain regain de ferveur chez bon nombre de musulmans
et, évidemment, par l'afflux massif de capitaux nouveaux
dans la foulée de la flambée des prix du pétrole dans les
années 1970. La vague de réislamisation qui a suivi la révolution islamique en Iran (1979) a touché la finance islamique, allant jusqu'à l'islamisation de la banque centrale
en Iran et au Pakistan.

En principe, en déposant ses économies dans une
banque islamique, le musulman pieux est assuré qu'elles
seront gérées et investies d'une façon conforme aux grands

Banques islamiques

Pour les banques
islamiques endossant
l'optique du Coran et de
la loi islamique, l'argent
seul ne peut pas
légitimement générer
de l'argent. Il faut que la
banque prenne un risque.
La relation entre les
banques islamiques et
leurs clients n'est pas
une relation ordinaire entre
créancier et débiteur.
C'est plutôt une relation
de partenariat dans
laquelle les deux parties
partagent les risques et
les profits. Ainsi, le taux
d'intérêt est remplacé
par un taux de rendement
sur des activités réelles.

principes de la loi islamique. En pratique, la ferveur n'a pas toujours été en mesure de suppléer aux nécessités de l'activité économique et de la concurrence des banques conventionnelles. L'épargnant ne touche pas d'intérêt, c'est-à-dire un pourcentage prédéterminé versé à terme ; il reçoit plutôt périodiquement une « rémunération des dépôts » correspondant à la performance de la banque. Toutefois, cette dernière est souvent amenée à majorer cette rémunération pour s'ajuster à la concurrence des banques conventionnelles, qui continuent à exister dans la plupart des pays musulmans.

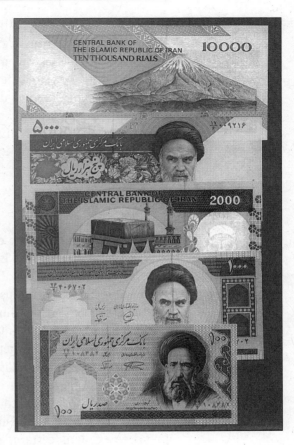

Par ailleurs, au chapitre des modes de financement, on dénombre une dizaine de formules, qui varient considérablement selon qu'il y a ou non partage des profits et des pertes, selon le nombre de partenaires, ou selon le partage de la responsabilité de gestion. Ces modes de financement « islamiques » ont permis la réalisation de projets inédits associant des pays du pétrole au développement de pays musulmans pauvres. Mais, pour toutes sortes de raisons, les modes de financement avec partage, la *modaraba* et la *mosharaka,* qui sont les plus près des principes islamiques, ont reçu beaucoup moins

Billets de banque iraniens

Dans la foulée de la révolution islamique de 1979 en Iran, on a assisté à une islamisation des systèmes bancaires dans un certain nombre de pays musulmans devenus des « États islamiques ».

d'attention et de fréquentation que certains modes de financement qui sont plus à la frontière du licite et plus près des modes occidentaux, comme, par exemple, la vente à paiement différé ou la vente à livraison différée. Cela dénote peut-être que le souci de vivre selon les préceptes de l'islam n'empêche pas nombre d'épargnants musulmans de rechercher le mode d'investissement le plus rentable. Après tout, le souci d'augmenter leur richesse est encouragé par l'islam, à condition qu'il ne soit pas excessif et qu'il se déploie dans l'équité.

Le Coran serait-il misogyne et responsable de la situation actuelle des femmes dans l'islam ?

Pour éviter une erreur de perspective, il faut commencer par se demander si la situation des femmes en Arabie était meilleure après la venue du Coran et l'action du Prophète qu'elle ne l'était avant. La réponse est, clairement, oui. En effet, dans l'Arabie d'avant l'islam, la condition de la femme relevait en grande partie de coutumes plus ou moins flottantes qui laissaient beaucoup de place à l'arbitraire des hommes. À sa naissance même, la femme était souvent défavorisée et, dans certains cas, considérée comme une bouche inutile, on la faisait disparaître en l'enterrant dans le sable. Le Coran condamne énergiquement cette pratique qu'il estime être une insulte à la générosité d'Allah qui donne les enfants (Coran, chapitre 16, versets 57-59 ; chapitre 6, verset 137).

Créés tous deux par Allah, l'homme et la femme sont, dans l'optique du Coran, « l'un pour l'autre un vêtement » (Coran, chapitre 2, verset 187). Le verset 238 du chapitre 2 affirme : « Les femmes ont des droits équivalents à leurs obligations, et conformément à l'usage. Les hommes ont cependant une prééminence sur elles ». Dans le contexte d'une société patriarcale où l'homme était le pourvoyeur, cela voulait dire qu'il avait plus d'obligations et par conséquent plus de droits que la femme et avait autorité sur elle. Cela ne veut pas dire que cette dernière n'avait pas de droits reconnus par le Coran et plus tard par la loi islamique. Ainsi, en matière de droit de la propriété et des obligations, la femme est l'égale de l'homme. En ce qui concerne l'au-delà, puisqu'elles ont les mêmes devoirs religieux que les hommes, les femmes croyantes auront elles aussi droit à la récompense du paradis.

La femme peut agir comme témoin, mais il faut alors le témoignage de deux femmes pour remplacer celui d'un homme (Coran, chapitre 2, verset 282). En ce qui a trait à la succession, la femme peut hériter, mais sa part est fixée à la moitié de celle d'un homme du même degré de parenté. Pour ce qui est du régime matrimonial, le Coran met un frein à la polygamie en limitant à quatre le nombre d'épouses qu'un croyant peut légalement avoir, tout en précisant que c'est à condition de pouvoir les traiter équitablement (Coran, chapitre 4, verset 3). Or, le verset 129 du même chapitre affirme que c'est là chose presque impossible (Coran, chapitre 4, verset 129). En rapprochant ces deux versets du Coran par un raisonnement, les musulmans modernistes soutiennent que le Coran favorise clairement la monogamie. C'est aussi la façon de voir de la loi tunisienne de 1957 sur le statut personnel, qui, en s'appuyant sur ces versets, a aboli la polygamie en Tunisie.

Le Coran recommande l'arbitrage quand il y a mésentente entre les époux (Coran, chapitre 4, verset 35). Si cette mesure est infructueuse, le Coran (chapitre 2, versets 227 à 232) accorde au mari le droit de répudier son épouse, mais non sans réglementer cette démarche, de façon à ce qu'elle ne soit pas faite à la légère. En effet, la formule de répudiation devra être prononcée à trois reprises séparées l'une de l'autre par un cycle menstruel. Malgré cette réglementation pourtant claire du Coran, la pratique de regrouper les trois prononcés en un seul temps finira par s'incruster dans la loi islamique.

De façon globale, le statut de la femme dans l'islam était meilleur après l'intervention du Coran qu'avant. On peut même dire qu'à certains égards ce statut était meilleur que celui des femmes européennes à la même époque : le Coran et l'action du Prophète reconnaissaient à la femme une personnalité juridique, ce qui n'était pas tout à fait le cas dans le droit romain adopté dans divers pays européens. Toutefois, à la période moderne, ces mêmes dispositions coraniques, si elles sont comprises et appliquées à la lettre, vont carrément à l'encontre de l'évolution relativement récente que le statut de la femme a connue en Occident. On pense en particulier aux droits et libertés reconnus par les chartes modernes, notamment à l'égalité entre hommes et femmes.

On peut toutefois noter que ce qui est déterminant pour la situation des femmes, ce n'est pas tant ce que dit le Coran que la façon dont les croyants interprètent ce qui y est dit. Ainsi, à la période moderne, aussi bien après l'indépendance que pendant la colonisation, la plupart des pays musulmans ont adopté des mesures visant notamment à abolir la polygamie, le mariage des enfants et la répudiation unilatérale par le mari. Ces mesures n'ont pas nécessairement rallié tous les esprits, si bien que les années 1980 ont vu des retours en arrière là où les islamistes ont pris le pouvoir et ont entrepris de rétablir l'application stricte du Coran et de la loi islamique.

Encore là, la situation concrète peut varier considérablement d'un pays à l'autre. En Iran, tête de proue de la «révolution islamique», les femmes ont conservé le droit de vote, alors qu'au Koweït, pays protégé par l'Occident au cours de la guerre du Golfe, le Parlement refuse obstinément ce droit aux femmes. Plus récemment, en octobre 2003, en se réclamant du Coran et de son titre religieux de «commandeur des croyants», le jeune roi Mohammed VI du Maroc a annoncé l'introduction d'un nouveau code de la famille qui veut être un plan d'intégration de la femme au développement du pays. Ainsi, la femme sera considérée comme l'égale de l'homme, ce qui signifie, par exemple, qu'elle pourra, tout comme lui, demander le divorce et qu'en cas de divorce elle aura droit à la moitié des biens acquis par le couple pendant le mariage; la polygamie et la répudiation unilatérale par le mari deviendront quasi impossibles. Cela illustre le fait qu'aujourd'hui encore le Coran peut tout aussi bien motiver l'amélioration de la condition de la femme que son maintien systémique dans une situation inférieure.

Le roi du Maroc, Mohammed VI

Peu de temps après avoir accédé au trône, le jeune roi du Maroc a annoncé un train de mesures audacieuses visant à mettre le Maroc à l'heure du XXIe siècle, entre autres en ce qui a trait au statut de la femme.

Photo : D.R.

Le port du voile *(hidjab)* est-il vraiment un précepte de l'islam? Devrait-il être interdit chez nous dans les écoles publiques?

Ceux qui répondent oui à la première question peuvent compter sur deux passages du Coran pour étayer leur position. Les versets 55 et 59 du chapitre 33 recommandent aux épouses du Prophète de « se couvrir de leurs voiles»; les versets 31 et 60 du chapitre 24 étendent cette

Voile

Le terme « voile » *(hidjab)* est pris ici dans un sens générique pour désigner les différentes formes qu'il peut prendre, depuis le petit foulard qui couvre – ou tente de couvrir – les cheveux, jusqu'à la tunique qui va des pieds jusqu'au sommet de la tête avec des orifices pour les yeux. Ces formes varient selon l'aire culturelle et le statut économique des femmes qui portent le *hidjab*. Divers noms désignent le « voile », comme *tchador, pordah, bourqa, bourqou, litham*, etc. Il n'est pas toujours facile de s'y retrouver, puisqu'un même type de voile peut porter des noms différents selon les pays et qu'un même nom peut référer à plus d'un type de voile selon les régions.

recommandation aux croyantes en général en la mettant en relation avec le devoir de modestie. À partir de ce moment, le port du **voile**, qui existait en Arabie longtemps avant l'islam, s'est répandu chez les musulmanes. Ce n'était donc pas une marque distinctive de l'islam puisque, d'une part, des non-musulmanes le portaient et que, d'autre part, ce n'étaient pas toutes les musulmanes qui le portaient. L'application du Coran par les docteurs de la loi tenait compte du contexte culturel local. Le port du voile n'était donc pas considéré comme une obligation religieuse stricte et universelle comme l'était, par exemple, la prière quotidienne ou l'un des autres « piliers de l'islam ».

Pour comprendre les affrontements que suscite aujourd'hui ce « bout de tissu » en apparence inoffensif, il faut voir quelle a été sa trajectoire à la période moderne. Là, on se rend compte que la dimension purement fonctionnelle qu'il avait précédemment a été obnubilée par une dimension symbolique et identitaire qui explique la charge émotive qu'il véhicule actuellement. En Turquie, l'interdiction du port du voile a été associée à des mesures radicales de modernisation et de laïcisation adoptées par le régime d'Atatürk : abolition du califat (1924), suppression du statut de religion d'État pour l'islam, abolition de la loi islamique *(charia)* et suppression des ordres soufis (mystiques). Sans aller jusque-là, la plupart des pays musulmans ont vu le port du voile décliner dans le sillage de la modernisation.

Dans la mesure où l'abandon du voile avait été associé à la modernisation et à l'occidentalisation, sa réintroduction, forcée ou spontanée, a été associée à la réislamisation de la société prônée par les islamistes depuis la « révolution islamique » iranienne de 1979. Pas étonnant que le voile soit devenu pour les uns un symbole du rétablissement des droits de Dieu et pour les autres un symbole de la violation des droits des femmes ; pour les uns, c'est un rejet de l'occidentalisation et des valeurs modernes, un élément identitaire, et pour les autres c'est un recul vers le Moyen Âge.

Dans ce contexte, il devient très difficile de savoir pourquoi, chez nous, telle ou telle musulmane porte le voile. Dans la plupart des cas, il s'agit d'un libre choix ; on ne peut pas présumer que ce choix exprime nécessairement le rejet de la société occidentale et des valeurs modernes. Il faut sans doute y voir d'abord et avant tout un élément fonctionnel, à savoir une façon de favoriser la modestie dans une société qui n'en abuse pas. Pour certaines, paradoxalement, il peut y avoir là une touche féministe, au sens où elles affichent leur émancipation par rapport à des modes vestimentaires dictées par des hommes et qui avilissent les femmes. Il faudrait alors se demander, avec bon nombre de femmes musulmanes qui ne portent pas le voile, pourquoi l'affirmation identitaire visible, avec ce qu'elle peut occasionner d'incompréhension, est le lot des femmes musulmanes et non celui des hommes.

Quand on ne considère que la dimension symbolique du voile, on peut être tenté d'en interdire le port à l'école publique au nom de la laïcité, comme c'est le cas en France. Au Québec, toutefois, la Commission des droits de la personne a sérieusement freiné cette tentation en prenant position de façon claire et proactive en février 1995 : peu importe que le port du voile soit considéré ou non comme obligatoire par la doctrine officielle de l'islam, l'interdiction directe ou indirecte de porter ce vêtement à l'école publique constituerait une discrimination incompatible avec la *Charte des droits et libertés de la personne**. Ainsi, une loi qui interdirait le port du *hidjab* – comme d'ailleurs celui de la *kippa* juive – irait à l'encontre de la liberté religieuse

Jeune fille musulmane
portant le hidjab
Photo : D.R.

* Voir l'avis de la Commission des droits de la personne du Québec dans *Le pluralisme religieux au Québec : un défi d'éthique sociale*, février 1995, page 33.

garantie par les chartes et devrait faire appel à la clause dérogatoire (« clause nonobstant »). Dans un éditorial portant sur le projet de loi français bannissant les signes religieux ostensibles à l'école, Michèle Ouimet* conclut :

* « Voile et dérives », *La Presse*, Montréal, 19 décembre 2003.

> « La liberté religieuse n'est pas absolue. Les musulmans – puisque ce sont eux qui sont visés par la future loi – doivent respecter les valeurs fondamentales de la société d'accueil. Certaines concessions sont inadmis-sibles, comme des horaires séparés dans les piscines.
>
> « La laïcité, aussi, n'est pas absolue. Le rapport Stasi donne l'exemple d'une ville qui a interdit les convois funéraires religieux parce qu'ils portaient atteinte à la neutralité de la rue !
>
> « Il n'existe pas des tonnes de solutions. Le Québec, cité élogieusement dans le rapport Stasi, en a tricoté une : l'accommodement raisonnable. Même si elle est souvent boiteuse, elle a au moins le mérite de ne stigmatiser personne tout en établissant des limites claires. Pas de loi donc, mais des discussions au cas par cas afin de trouver un juste équilibre entre la liberté religieuse et le respect des valeurs fondamentales du Québec. La France devrait s'en inspirer. »

Le droit à la liberté de religion n'est toutefois pas absolu et illimité. Il reste soumis à l'ordre public et ne doit pas imposer de contrainte excessive à la société en général et à une institution en particulier. C'est le concept d'accommodement raisonnable qui sert de lieu d'ajustement entre un droit reconnu et les modalités concrètes de son exercice dans un milieu donné. Ce genre d'arrangement suppose évidemment la bonne foi et la bonne volonté des parties en cause. Il permet souvent d'éviter la judiciarisation des conflits et des tensions ; avec l'aide d'une instance

Musulmanes syriennes
en costume de ville.

*Photochromie
de Félix Bonfils,
vers 1880.*

*Document conservé à
la Bibliothèque nationale
de France, Paris.*

de médiation, au besoin, les parties sont amenées à négo-
cier ensemble une solution acceptable plutôt que de s'en
remettre à la décision d'un tribunal qui fera un gagnant et
un perdant. La solution vient alors de la base et permet de
tenir compte des facteurs locaux et de la diversité des situations, chose qu'une loi générale peut difficilement faire ;
imposée d'en haut, une telle loi risque de consommer plus

d'énergie dans son interprétation et son application que n'en requiert habituellement la recherche d'un accommodement raisonnable.

Comment peut-on justifier, au nom de l'islam, la peine de mort par lapidation imposée à une femme qui a eu des relations sexuelles hors du mariage ?

On peut tout d'abord constater que la peine de mort par lapidation imposée pour relations sexuelles hors du mariage ne se trouve pas dans le Coran. En effet, le verset 2 du chapitre 24 du Coran prévoit plutôt une peine de cent coups de fouet, aussi bien pour l'homme que pour la femme. Alors, comment expliquer que la loi islamique *(charia)* soit allée beaucoup plus loin que le Coran en imposant la mort par lapidation ? Il semble que cette mesure soit apparue assez tôt chez les premières générations de musulmans, qui l'auraient empruntée à une vieille loi juive. Dans une société patriarcale, la sévérité de la peine correspondait sans doute à la gravité que l'on attribuait à l'offense. Quelle que soit l'origine de la peine, l'offense, elle, a été clairement classée parmi les *houdoud,* c'est-à-dire les crimes graves pour lesquels il n'y a pas de pardon et dont la peine est prédéterminée par la loi. Cela veut dire qu'une fois la culpabilité prouvée, le juge n'a d'autre choix que d'appliquer la peine.

S'il est une chose difficile à prouver en droit islamique traditionnel, c'est bien l'adultère. En effet, ce dernier ne reconnaît que deux façons d'établir la culpabilité : l'aveu et le témoignage ; ni la preuve matérielle, ni la preuve circonstancielle, ni la preuve documentaire ne sont admises. L'aveu, quant à lui, est réputé suspect. Pratiquement, il ne reste donc que la preuve testimoniale, c'est-à-dire la preuve qui repose sur des témoignages. Or, sans doute en raison de la sévérité et de l'atrocité de la peine, les juristes musulmans ont mis la barre très haute – pour ne pas dire à hauteur inatteignable – en matière de preuve exigée dans ce cas particulier.

Il faut tout d'abord quatre témoins qualifiés, c'est-à-dire quatre hommes reconnus pour leur piété, leur intégrité et leurs bonnes mœurs. Ces témoins font face à une tâche qui n'a rien d'attrayant. Ils doivent tout d'abord prêter serment, en étant conscients que s'ils font une fausse accusation ou un faux témoignage, ils seront passibles de quatre-vingts coups de fouet. Ils se retrouvent ensuite devant une présomption d'innocence en faveur de l'accusé(e) ; cette présomption joue à plein dans la théorie de « l'acte semblable ». Selon cette théorie, les témoins doivent pouvoir affirmer unanimement que c'est bien monsieur X (et non son frère) et madame Y (et non sa sœur) qu'ils ont vus. Ils doivent avoir pris monsieur X et madame Y en flagrant délit de coït et être certains que ce n'était pas une simulation ou un acte en apparence semblable.

Dans un tel contexte, pour que la culpabilité soit prouvée, il fallait que les accusés soient vraiment suicidaires pour s'exécuter aussi imprudemment ou que les témoins soient des voyeurs professionnels à l'affût ! Comment quatre personnes pieuses et intègres auraient-elles pu béatement regarder se perpétrer un crime jugé si abominable sans intervenir de quelque façon ? Les juristes musulmans étaient généralement des gens intelligents et humains ; ils savaient très bien ce qu'ils faisaient en imposant une telle exigence en matière de preuve. Ne pouvant plus exclure de la loi une peine aussi inhumaine, ils se sont appliqués – avec succès – à en restreindre l'application. Dans la mesure où la loi islamique était respectée et appliquée de préférence au droit coutumier pénal de certaines régions, la peine de mort par lapidation devait être rarissime.

Alors, comment expliquer que, récemment, particulièrement au Nigeria, des femmes aient été condamnées à la peine de mort par lapidation après avoir été déclarées coupables de relations sexuelles hors mariage ? De façon globale, cela ne peut se produire que là où la loi islamique a perduré dans toute sa rigueur, comme en Arabie saoudite et au Yémen, ou encore là où elle a été récemment rétablie par des régimes islamistes, comme en Iran, au Pakistan, au Soudan ou au Nigeria. Dans ce dernier pays, douze États du Nord à majorité musulmane ont rétabli la loi islamique en 1999. Sur le plan politique, la condamnation à mort par lapidation semble être une façon de discréditer au niveau international le gouvernement central, dirigé par un premier ministre chrétien.

Sur le plan proprement juridique, si on prend, par exemple, le cas d'Amina Lawal, condamnée à mort après avoir donné naissance à une petite fille hors du mariage vers la fin de 2001, on est confronté à des versions parfois discordantes des faits. Toutefois, il semble assez clair que sa condamnation à mort pour adultère en 2002 n'aurait pas pu se produire si la loi islamique traditionnelle, et elle seule, avait été rigoureusement appliquée. En effet, dans le cas du père de l'enfant, le juge n'a pas accepté en preuve l'aveu de paternité ; il l'a acquitté au motif qu'il n'y avait pas de preuve suffisante faute des quatre témoins requis selon le standard de preuve strict établi par la loi islamique traditionnelle. Ce juge a choisi de reconnaître, à l'intérieur de la loi islamique traditionnelle, l'exigence en matière de preuve qui était la plus favorable à l'accusé ; cela va dans le sens du droit pénal moderne.

Dans le cas de la mère, un juge de la ligne dure a consi-déré que l'enfant était une preuve suffisante de culpabilité. Par incompétence ou machisme, il n'a pas exigé la preuve stricte de quatre témoins que l'autre juge avait exigée dans le cas du père ; puis il a confondu l'aveu de culpabilité et la preuve matérielle. En droit islamique comme ailleurs, l'aveu doit être fait par l'accusée elle-même et non déduit de la présence de l'enfant. Cette enfant constitue certes une preuve matérielle de maternité, mais la preuve matérielle n'est pas acceptée en droit islamique traditionnel. Elle l'est cependant dans les systèmes juridiques occidentaux qui ont supplanté la loi islamique à la période coloniale et qui con-tinuent d'exister en parallèle au Nigeria. La réintroduction récente de la loi islamique a produit une sorte de flou juri-dique qui laisse une grande marge de manœuvre aux juges pour métisser les systèmes juridiques, pour le meilleur et pour le pire. Le pire, c'est qu'Amina Lawal a été condamnée à la peine de mort prévue en droit musulman sur la base d'une preuve valide en droit occidental mais invalide en droit musulman. Le meilleur, c'est que sa condamnation a été annulée en appel alors qu'en droit musulman tradi-tionnel il n'y a pas de cour d'appel.

Dans la plupart des cas où il y a eu rétablissement de la loi islamique en droit pénal, les instances d'appel qui exis-taient antérieurement ont été maintenues. Cela n'exclut pas automatiquement la possibilité de la peine de mort par lapidation, mais cela peut réduire considérablement le nombre de femmes victimes d'une peine inhumaine que des islamistes continuent d'associer à l'islam et aux droits de Dieu, tout en l'appliquant de préférence aux femmes.

Compte tenu des dispositions du Coran et de la loi islamique *(charia),* **peut-il y avoir égalité entre hommes et femmes dans l'islam ?**

Il y a dans le Coran et dans la loi islamique des dispositions qui, si elles sont prises à la lettre et appliquées rigoureusement, vont à l'encontre de l'égalité entre hommes et femmes telle que la conçoivent les chartes des droits et libertés de la personne. Pour les chartes, l'égalité suppose l'absence de discrimination fondée sur le sexe. Après un survol rapide des dispositions coraniques impliquant une discrimination fondée sur le sexe, on se demandera dans quelle mesure elles ont une emprise réelle sur la vie des musulmanes d'aujourd'hui.

De façon générale, tout en reconnaissant aux femmes « des droits équivalents à leurs obligations », le Coran (chapitre 2, verset 238) affirme que les hommes ont une certaine prééminence sur les femmes et qu'ils ont autorité sur elles. Le Coran (chapitre 4, verset 34) accorde au mari un droit de correction physique par rapport à son épouse, sans contrepartie pour l'épouse ; mais il s'agit là d'un dernier recours, là où la persuasion a échoué. Une femme peut agir comme témoin, mais il faut alors le témoignage de deux femmes pour remplacer celui d'un homme (Coran, chapitre 2, verset 282). On trouve une inégalité semblable en matière de succession : à degré de parenté égale, une femme recevra la moitié de la part d'héritage d'un homme (Coran, chapitre 4, verset 176). Ici, il faut préciser que selon la loi islamique cette répartition fixée par la loi affecte les deux tiers du montant total de la succession ; cela ne laisse que peu de marge à l'individu qui voudrait corriger cette inégalité dans son testament, car ce dernier ne peut affecter que le tiers des biens de la succession.

En matière de mariage, le Coran (chapitre 4, verset 3) permet aux croyants d'épouser jusqu'à quatre femmes non sans ajouter : « Mais si vous craignez de n'être pas équitables, prenez une seule femme [...]. » C'est là une sérieuse incitation morale à restreindre la polygamie, mais elle n'a aucune valeur légale aux yeux de la loi islamique. En contrepartie, la polyandrie n'est pas permise à la femme, qui, elle, ne doit avoir qu'un seul mari ; et, là encore, elle ne peut épouser qu'un musulman, tandis que le musulman peut épouser une femme des « gens du Livre », c'est-à-dire une juive ou une chrétienne. Quand il s'agit de mettre fin au mariage, le Coran (chapitre 4, verset 35) recommande d'abord l'arbitrage lorsqu'il y a discorde entre les époux. Si cette mesure échoue, le mari a alors le droit de répudier unilatéralement son épouse en prononçant la formule « Je te répudie » à trois reprises séparées l'une de l'autre par un cycle menstruel ; la loi islamique finira toutefois par reconnaître la pratique déviante de regrouper en une seule instance les trois prononcés de répudiation. Cela accentue l'inégalité, puisque la femme, elle, doit s'adresser à un juge et invoquer des motifs précis pour obtenir le divorce. Sur la **scène publique**, une femme peut être juge, mais elle ne peut être chef d'État. Elle doit porter le voile (Coran, chapitre 24, versets 31 et 60 ; chapitre 33, versets 55 et 59), tandis que le devoir de modestie n'astreint pas l'homme à une tenue vestimentaire aussi précise.

Toutes ces mesures constituent assez clairement des formes de discrimination fondée sur le sexe. Cependant, dans les sociétés musulmanes comme ailleurs, diverses actions ont été entreprises à la période moderne pour remédier à cette situation. Par exemple, dans plusieurs pays musulmans, la polygamie a été prohibée ou son exercice restreint par des conditions fortement dissuasives. Le port du voile, qui n'avait

Scène publique

Selon la loi islamique, une femme ne peut pas être chef d'État. Cela n'a pas empêché des pays aussi massivement musulmans que le Pakistan, le Bangladesh, l'Indonésie ou la Malaisie d'élire des femmes à leur tête. Cela s'est produit bien avant que l'on voit à l'horizon le jour où chose semblable pourrait se produire aux États-Unis ou au Canada, pays où la loi n'exclut pourtant pas les femmes de cette fonction.

131

La juriste iranienne Chirin Ebadi

Le prix Nobel de la paix qui lui a été décerné en 2003 reconnaissait la lutte courageuse qu'elle a menée contre le régime des ayatollahs en Iran pour regagner peu à peu une partie du terrain que les femmes avaient perdu à la suite de la révolution islamique de 1979.

Photo : D.R.

du reste jamais été universel ou universellement compris comme une obligation stricte, était devenu désuet pour une proportion importante de musulmanes.

Évidemment, cette évolution a été remise en question par la montée de l'islamisme. Le cas extrême des talibans a illustré jusqu'où peut aller une société patriarcale quand elle croit trouver appui dans la religion pour exclure les femmes de l'éducation et de l'exercice des professions en les confinant au foyer. Par contre, le cas de l'Iran démontre que ce genre de situation ne peut durer longtemps : les femmes y sont de plus en plus actives, regagnant à un rythme accéléré le terrain qu'elles avaient perdu à la suite de la « révolution islamique » de 1979. Cela ne veut pas dire que l'idéal égalitaire traditionnellement proposé par l'islam est près d'avoir raison de tout l'héritage patriarcal. En attribuant le prix Nobel de la paix 2003 à l'avocate iranienne Chirin Ebadi plutôt qu'au pape Jean-Paul II ou à Nelson Mandela, le comité du prix Nobel donnait un appui clair à la lutte menée par madame Ebadi en faveur des droits des femmes en Iran. Son parcours illustre les enjeux de cette lutte. En 1974, elle devenait la première femme juge en Iran, poste qui lui sera enlevé avec l'arrivée au pouvoir des islamistes, en 1979. Emprisonnée pendant trois semaines en 2000 pour son opposition au régime des ayatollahs, elle a gardé le cap : « Je suis heureuse de dire qu'après quinze ans de travail acharné, nous avons été capables de regagner ce droit [d'être juges] pour les femmes. Il y a deux femmes juges en ce moment à la Cour d'appel de Téhéran. »

Peut-on vivre intégralement l'islam et être citoyen à part entière dans une société sécularisée comme la nôtre ?

« *Ab esse ad posse* », dirait la logique traditionnelle : « Si ça existe, c'est que ça peut exister. » Des milliers voire des millions de musulmans vivent actuellement dans des sociétés occidentales sécularisées et affirment trouver dans l'islam non pas un obstacle mais une motivation supplémentaire qui leur permet de souscrire à une approche citoyenne responsable du vivre ensemble. À première vue, cela ne va pas de soi. Cela suppose un certain nombre de conditions, tant du côté des croyants musulmans que du côté de la société dans laquelle ils vivent.

Du côté des croyants musulmans, la façon d'interpréter le Coran, de comprendre l'exemple du Prophète et de concevoir l'islam est particulièrement déterminante. Il tombe sous le sens qu'une compréhension littérale du Coran et une conception intégriste de l'islam risquent de compliquer la vie dans une société comme la nôtre. Par contre, si l'on regarde du côté de l'islam tel qu'il a compris et vécu historiquement le Coran, on trouve à tout le moins deux grands principes qui permettent aux musulmans de s'ajuster à divers types de sociétés. Le premier, c'est l'obéissance aux autorités établies, principe qui est affirmé par le Coran (chapitre 4, versets 59 et 83). Si ce principe peut profiter à des gouvernants despotiques et corrompus aussi bien dans certains pays musulmans qu'ailleurs, à plus forte raison, il peut inciter – et, de fait, il incite – nos concitoyens musulmans au respect des lois dans un État de droit démocratique dont l'édifice légal est couronné par des chartes des droits et libertés de la personne.

Le deuxième principe qui a traditionnellement permis aux musulmans de s'adapter à des situations nouvelles, c'est celui de *daroura* (nécessité). Selon ce principe élaboré par les experts de la loi islamique, la nécessité dispense les musulmans

Tribunal islamique

Se prévalant de la *Loi sur l'arbitrage* de l'Ontario, des musulmans de Toronto entendent mettre sur pied un tribunal d'arbitrage visant la résolution à l'amiable des conflits entre musulmans, notamment des conflits familiaux. Cette initiative a soulevé un tollé et placé le gouvernement de l'Ontario devant un dilemme, à savoir choisir entre deux formes de discrimination. En effet, d'autres groupes religieux s'étant prévalus de la même loi pour mettre sur pied leurs tribunaux religieux, empêcher les musulmans d'en faire autant serait perçu comme de la discrimination fondée sur la religion. Par ailleurs, cautionner un système juridique qui comporte des inégalités de traitement entre hommes et femmes ouvrirait la voie à de la discrimination fondée sur le sexe.

Au Québec, la situation légale est différente puisque la *Loi sur l'arbitrage* exclut le domaine du droit de la famille. Par ailleurs, sans nécessairement être un partisan de la laïcité pure et dure, on peut avoir de bonnes raisons de s'opposer à la création d'un tribunal islamique appliquant la *charia*.

(suite page 134)

Tribumal islamique (suite)

Comment pourrait-on se réclamer de la liberté de religion pour mettre en place un système juridique qui instituerait une forme d'inégalité entre hommes et femmes ? C'est probablement pour cette raison que la perspective d'un tribunal islamique suscite peu d'enthousiasme – et souvent une nette réprobation – chez les musulmans et surtout chez les musulmanes de chez nous, mis à part quelques nostalgiques de la loi islamique.

d'observer les règles strictes de la loi islamique. Cette doctrine est née du clivage entre la théorie légale de la loi islamique et sa pratique là où l'instance politique n'était pas très portée sur l'islam orthodoxe. Le principe de nécessité étend à une collectivité musulmane le principe d'accommodement déjà présent en ce qui a trait à l'accomplissement individuel des devoirs religieux fondamentaux. Par exemple, la prière peut être reportée à un autre moment de la journée si elle ne peut se faire au moment fixé par la loi. De même, le jeûne du Ramadan peut être reporté à une période ultérieure s'il impose des contraintes excessives au croyant. Signalons au passage que la loi islamique dispense de l'obligation du jeûne les femmes enceintes et les enfants mineurs.

Au-delà de ces principes particuliers, bien des croyants musulmans souscrivent à une interprétation contextuelle du Coran et de la loi islamique. Pour eux, il faut distinguer entre les prescriptions qui visaient le contexte particulier de l'Arabie du VIIe siècle et les principes généraux d'éthique qui transcendent l'espace et le temps. Ils considèrent par exemple que ce que le Coran condamnait, c'était l'abus du vin, plaie sociale à La Mecque, et non sa consommation modérée ; cette façon de voir s'applique aussi à l'interdiction du *riba*, qu'ils traduisent par « prêt usuraire » et non par « prêt à intérêt ». Cette façon de voir repose globalement sur la conviction moderniste que le Coran, s'il est bien compris, n'est pas l'ennemi mais plutôt le garant du progrès humain et de la science. Ainsi, pour de nombreux croyants musulmans, les grands principes d'éthique du Coran constituent un renforcement des valeurs véhiculées par les chartes, comme l'égalité, l'équité, le respect de la vie humaine, la liberté de religion. Le fait que certaines dispositions de la loi islamique aillent à l'encontre de ces valeurs signifie pour eux qu'il est temps de réviser cette loi médiévale, de la relativiser ou tout simplement de la vénérer comme relique du passé et non comme maîtresse du présent.

Du côté de la société sécularisée où vivent les croyants musulmans, les conditions de convivialité sont énoncées dans les chartes des droits et libertés. Le droit à l'égalité, entre autres, suppose l'absence de discrimination fondée sur l'appartenance religieuse. La liberté religieuse signifie la liberté de croyance et de pratique. Dans les cas où les croyances et les pratiques religieuses deviennent des obstacles à l'exercice de droits comme le droit à l'éducation, l'obligation de l'**accommodement raisonnable** vient établir un point de rencontre entre la conviction religieuse et le vivre ensemble. C'est précisément ce vivre ensemble qui marque les limites de l'accommodement raisonnable : la société et l'entourage du croyant ne doivent pas être soumis à des contraintes excessives par la liberté d'exercice de la religion. En deçà de ces limites, bien des employeurs ont trouvé moyen d'accommoder des musulmans et des musulmanes qui désiraient s'acquitter de la prière quotidienne sur leur lieu de travail, aller à la mosquée pour la prière commune du vendredi midi, ou même aller faire le pèlerinage à La Mecque. Ce genre d'accommodement est plus facile là où il y a un sentiment de réciprocité qui permet à chacun d'y trouver son compte, ne serait-ce qu'en ce qui a trait à la productivité.

Mentionnons en terminant que beaucoup de musulmans vivant en Occident croient avec fierté que l'avenir de l'islam passe par la diaspora au sens où les musulmans qui vivent dans des pays occidentaux sont en train de trouver des façons inédites de vivre l'islam, de démontrer que l'islam n'est pas lié exclusivement à une culture ou à un type particulier de société, et qu'il n'a surtout pas besoin de l'État islamique prôné par les islamistes.

Accommodement raisonnable

Quand passe le train du pluralisme et du multiculturalisme, chacun tente d'y accrocher son wagon. Ainsi, à l'occasion de la reconnaissance du mariage entre conjoints de même sexe, le président d'une association musulmane a suggéré que le pluralisme en matière de mariage pourrait s'étendre à la polygamie permise par l'islam. On voit mal comment le droit à l'égalité, qui sous-tend la reconnaissance du mariage gai, pourrait cautionner une institution qui stigmatise l'inégalité entre hommes et femmes : selon le Coran, un homme peut avoir jusqu'à quatre épouses mais une femme ne peut avoir qu'un seul mari. On ne voit pas davantage comment on pourrait invoquer l'obligation d'accommodement raisonnable en un tel cas puisque la polygamie n'est pas un devoir mais simplement une permission accordée par le Coran.

L'ART DE LA MOSQUÉE

Mosquée d'Ibn Touloun (Égypte)

Cette mosquée, achevée en 879, qui a préservé les éléments architecturaux de ses plans d'origine, est la plus vieille mosquée égyptienne. Son minaret possède un remarquable escalier à l'extérieur de sa structure ; ce dernier a probablement été copié sur celui de la mosquée de Samarra (Irak) ; lui-même fait penser aux ziggourats mésopotamiennes (temples babyloniens).

Mosquée de Djenné (Mali)

Construite au XIVe siècle, en pisé, une terre argileuse moulée, la mosquée de Djenné illustre l'une des manières africaines d'envisager la construction d'une mosquée.

L'évolution de la mosquée à travers l'espace et le temps illustre éloquemment la grande diversité de l'Islam ainsi que la capacité d'adaptation et d'acculturation des musulmans établis aux quatre coins du monde. La mosquée est d'abord un lieu de prière, comme son nom l'indique : en arabe, *masjid* signifie littéralement « lieu où l'on se prosterne ». La modeste demeure du prophète Mohammed à Médine est considérée comme la première mosquée dans l'histoire de l'islam. Il s'agissait d'une enceinte (voir le schéma de la page 22) comportant une cour intérieure qui servait de lieu de prière et de rencontre. Des cases latérales abritaient la famille du Prophète.

Cette structure inspirera la construction des mosquées, mais, avec le temps, certains éléments s'ajouteront ou prendront de l'ampleur. Ainsi, la cour intérieure s'agrandira au rythme de la croissance de la communauté. La partie couverte se développera pour devenir un lieu d'enseignement et parfois abriter une bibliothèque. À mesure que cette partie s'agrandissait, des colonnades venaient supporter sa toiture. Cette dernière pouvait donner naissance à une ou plusieurs coupoles. Comme dans les églises, la dimension souvent imposante de la coupole aide le fidèle à prendre

Mosquée de Cordoue (Espagne)

L'Espagne fut le foyer d'un art musulman original appelé art mauresque. La mosquée de Cordoue, érigée du VIIIe au Xe siècles témoigne de l'ancienne splendeur du califat d'Espagne. Sa colonnade invite à la méditation.

La grande place et la mosquée de l'Imam, à Isfahan (Iran)

Les arches hautes et les coupoles de cette mosquée sont typiques du style épuré des mosquées iraniennes.

Mosquée Jana, à Delhi (Inde)

Les mosquées indiennes et pakistanaises de style moghol sont souvent très ornementées.

Mosquée de Hohehot, en Chine

À première vue, on pourrait croire qu'il s'agit d'une pagode, mais le minaret, même s'il est typiquement chinois, est en même temps la marque de l'islam.

conscience de sa petitesse par rapport au monde symbolisé par la coupole. À l'extérieur, le minaret est d'abord une tour permettant de faire retentir au loin l'appel à la prière. À mesure qu'il prend de l'altitude, le minaret devient en quelque sorte, comme le clocher des églises, une flèche pointée vers le ciel pour rappeler aux croyants la présence d'un lieu religieux reliant ciel et Terre. Ces éléments de base donnent à la mosquée une silhouette caractéristique de l'art musulman, mais, en même temps, les variantes locales reflètent la diversité des cultures qu'a rencontrées sur son passage l'art de la mosquée.

La mosquée bleue d'Istamboul (Turquie)
Dans les mosquées ottomanes, la coupole est souvent beaucoup moins haute que les minarets, très élancés.

La mosquée Hassan II, à Casablanca (Maroc)
Des technologies modernes ont permis d'ériger cette immense mosquée en bordure de la mer, de la doter d'un toit ouvrant et d'un minaret d'une hauteur record.

La mosquée de Nouakchott (Mauritanie)
Dans la mosquée de la capitale de la Mauritanie, les coupoles se sont estompées au profit de toitures modernes ; le minaret est tout à fait dominant.

VIE DE MOHAMMED : PRINCIPAUX ÉVÉNEMENTS

570 Naissance de Mohammed à La Mecque, peu de temps après la mort de son père Abdallah.

576 Mort d'Amina, mère de Mohammed. Mohammed est pris en charge par son oncle Abou Talib.

595 Mariage avec Khadidja, une riche veuve.

610 Premières révélations, à La Mecque.

615 Un groupe de musulmans émigre en Abyssinie pour échapper aux mesures vexatoires infligées par les Mecquois.

619 Mort de Khadidja, épouse de Mohammed. Mort d'Abou Talib, oncle et protecteur de Mohammed.

622 (septembre) Hégire : émigration de Mohammed vers Médine. Correspond à l'an 1 de l'hégire (« A.H. » : année de l'hégire), début de l'ère musulmane et du calendrier musulman.

623 La *qibla* (orientation pour la prière) est changée : ce n'est plus Jérusalem mais La Mecque.

624 (mars) Bataille de Badr : victoire des musulmans sur les Mecquois.

625 (mars) Bataille de Ohod : défaite des musulmans.

627 (avril) « Guerre du fossé » : victoire des musulmans, qui résistent au siège de Médine par les Mecquois en creusant un fossé autour de la ville.

628 (mars) Pacte de Hodaybiyya : Mohammed traite d'égal à égal avec les Mecquois.

628 (mai-juin) Prise de l'oasis de Khaybar.

629 (mars) Pèlerinage à La Mecque.

630 (janvier) Prise de La Mecque par Mohammed et les musulmans.

630 « Année des délégations » : les tribus de l'Arabie se soumettent à Mohammed.

632 (mars) « Pèlerinage d'adieu », à La Mecque. Mohammed rentre chez lui, à Médine.

632 (juin) Atteint de paludisme, Mohammed meurt à Médine, après avoir uni l'Arabie sous son commandement et implanté la première *oumma* (communauté musulmane).

INDEX ET LEXIQUE

L'Islam
DES RÉPONSES AUX QUESTIONS ACTUELLES
est le septième titre de cette collection

100%

 L'impression de cet ouvrage a permis de
sauvegarder l'équivalent de 6 arbres de 15 à
20 cm de diamètre et de 12 m de hauteur.

Achevé d'imprimer au Canada
en mai 2011
sur les presses de Imprimerie Lebonfon Inc.